D0785359

Editrice : Marie-Catherine Vacher

L'AMOUR AVANT QUE J'OUBLIE

DU MÊME AUTEUR

DEPALE, pwezi, en collaboration avec Richard Narcisse, éditions de l'Association des écrivains haïtiens, Port-au-Prince, 1979.

LES FOUS DE SAINT-ANTOINE, roman, éditions Deschamps, Port-au-Prince, 1989.

LE LIVRE DE MARIE, roman, éditions Mémoire, Port-au-Prince, 1993.

LA PETITE FILLE AU REGARD D'ÎLE, poésie, éditions Mémoire, Port-au-Prince, 1994.

ZANJ NAN DLO, pwezi, éditions Mémoire, Port-au-Prince, 1994.

LES DITS DU FOU DE L'ÎLE, Editions de l'île, 1997.

THÉRÈSE EN MILLE MORCEAUX, Actes Sud, 2000.

RUE DES PAS-PERDUS, Actes Sud, 1998 ; Babel n° 517, 2002.

LES ENFANTS DES HÉROS, Actes Sud, 2002.

BICENTENAIRE, Actes Sud, 2004 ; Babel n° 731, 2006.

LYONEL TROUILLOT

L'amour
avant que j'oublie

roman

ACTES SUD / LEMÉAC

Pour Maïté et Manoa ; Sabine ; Anne-Gaëlle ; la bande : Rolph, Evelyne, Jean, Michel, Pierrot, Ti Jean, Barbara, Carine ; Josué et Faubert, mes philosophes préférés ; Jocelyne ; Roger ; Jimmy ; Raluca, Emilie, Sophie ; Alain Sancerni et Catherine Sueur, à vos amours…

Fè lanmou, Ayizan, o, fè lanmou…

Chant populaire haïtien.

L'ÉTRANGER

Omabarigore, la ville que j'ai créée pour toi,
En prenant la mer dans mes bras,
Et les paysages autour de ma tête

DAVERTIGE

Tu connais la chanson : *Bleu, bleu, l'amour est bleu*. A l'époque, toutes les voix la chantaient. De l'école au bordel. Des boutiques du bord de mer à la ceinture de chair du quartier des mendiants serrant chaque jour de plus près les vieux murs décrépits de l'ancienne cathédrale. Au collège de l'Immaculée-Conception où je donnais des cours d'anglais, les pupilles la recopiaient dans leurs cahiers de chant et le chœur l'entonnait pour ouvrir la semaine, à la récréation, après la récitation du lundi. Les vendeurs ambulants de fournitures scolaires, auxquels les sœurs avaient interdit l'entrée de l'établissement pour des motifs sécuritaires, passaient le bras dans l'ouverture du portail métallique pour introduire leur marchandise, jetaient un œil à l'intérieur et jouissaient, extasiés, de la beauté des corps de vierges chantant l'amour à l'unisson. Ils en oubliaient quelquefois de toucher le montant de la dette de la veille. J'en parlais le soir aux Aînés. Philosophes, ils jugeaient ce commerce équitable : une extase contre un aiguiseur ou une boule de vanille.

Bleu, bleu... Elle était partout. Elle touchait les hautes sphères de la fonction publique. A leur libération, les prisonniers politiques confiaient à leurs proches que le colonel Albert Pierre, chef de la police secrète, le plus rustre des tortionnaires habillés par la dictature, se sentant soudain pris d'un accès de romantisme, renvoyait les urgences au lendemain, abandonnait ses instruments de torture à ses aides pour le lavage, rangeait la blouse d'interrogatoire et l'uniforme des forces spéciales dans le placard aux accessoires, choisissait une chemise aux couleurs hawaïennes et, rendu à la vie civile, partait chercher un piano-bar où il traînait des jolies filles et offrait une prime à l'artiste s'il jouait la chanson toute la nuit. *Bleu, bleu...* Elle traversait les corridors obscurs, les quartiers d'ombre sans issue apparente derrière lesquels se cachaient cependant des mondes, atteignait les bas-fonds des maisonnettes plantées au pied du Morne L'Hôpital, qui attendaient, sereines, le jour où la montagne, masse informe, lassée d'être rongée par la racine, déciderait de leur tomber dessus.

Bleu, bleu... Le soir, à l'heure où les temples fonctionnent à plein rendement, je m'asseyais avec les Aînés dans la cour de la pension, pour regarder passer le temps et écouter les bruits de la rue. D'ordinaire, tous les dieux de la ville venaient livrer bataille jusque devant nos portes. L'Etranger pestait contre la cacophonie des cohortes qui nous imposaient leurs demandes et leurs actions de grâce. Depuis son avènement, plus vive qu'un cantique, la chanson parvenait à troubler les services. Les dieux avaient trouvé leur maître. *Bleu, bleu, l'amour est bleu...* La concurrence s'avouait vaincue : seule une poignée d'irréductibles, tous cultes confondus, s'acharnait à scander les vieux chants d'espérance et les hymnes à la mort. *Bleu, bleu...* Assis dans la cour, chacun souvent avec lui-même, sans vrai besoin de converser, ou cherchant ensemble des mots qui tuent le temps, nous l'entendions monter du cœur des maisonnettes. Des voix paillardes, plus faites pour la rage, la portaient jusqu'à nous. C'étaient des voix sauvages, sans formation académique, qui crachaient du *bleu, bleu*... comme des cris de détresse. C'étaient des voix humaines, acquises à l'air du temps. Habituées aux sécheresses et aux intempéries, aux querelles de ménage qui se réglaient à l'arme blanche, au mal de vivre élémentaire que sait causer la pauvreté, elles aimaient ce refrain qui parlait d'autre chose.

Avec les Aînés, nous nous étions faits à cette vie ordinaire. Le matin, j'allais donner mes cours au collège. J'enseignais, pour gagner ma vie, une langue que je n'aimais pas et que je connaissais mal. Mais j'attendais la nuit pour me chercher une destinée et une définition. Chaque nuit, dans ma chambre, je traquais le poème. Je m'étais donné la poésie pour fin. Entre mes cours et cette poursuite aussi vaine qu'assidue de l'écriture poétique, il y avait les trois autres locataires de la pension, les Aînés : Raoul, l'Historien, l'Etranger. Ma vraie vie. Ces hommes étaient mes vingt ans. Bien plus que ces figures féminines dont l'absence faisait le thème de mes poèmes. La pension était notre monde, et l'on n'y entrait pas avec un patronyme. Mais avec son nom de guerre ou de paix, ce qui restait d'un long parcours ou laissait présager d'une dérive à venir. Un défaut essentiel. Une qualité perdue. Moi, j'étais l'Ecrivain. J'étais en ce temps-là amoureux d'une jeune fille. Je pense que je devais l'être, même si ma mémoire n'a gardé aucun trait de son visage, pas même un vague contour. Elle devait certainement avoir un prénom, comme toutes les jeunes filles, mais l'absence, quand elle dure, peut très bien devenir une vérité première. Je me souviens surtout que ma passion pour elle me dictait de fort mauvais vers sans attirer la réciproque. Je me souviens vaguement d'une

jeune fille qui ne m'aimait pas. Au fait, je me souviens surtout de ce souvenir-là, et que j'avais très
mal. Les vieux étaient concrets, ma vraie vie, mon
avoir. Le souper à quatre, les bavardages devant la
porte de l'un ou de l'autre. Leurs chambres. Le
fauteuil de l'Historien, sa pipe, ses pantoufles. La
malle sous le lit d'où il tirait l'après-midi un livre
pour s'enfermer dans le passé. La bouteille de rhum
qu'il débouchait dès l'heure du petit-déjeuner
pour boire au goulot jusqu'à l'heure du coucher.
Pourtant la bouteille ne se vidait jamais, à croire
qu'à chaque coup ce n'était plus la même et qu'il
y avait une cave enfouie dans le sous-sol. Malgré
la certitude de ses médecins qui affirment qu'il est
mort d'une trop longue overdose d'alcool et de
tabac, il m'arrive de me demander si l'évidence de
son alcoolisme ne participait pas d'une vaste comédie. La vie de l'Historien était peuplée, je crois,
d'une longue série de concessions à ce besoin
vulgaire de détails caractéristiques qui rendent
l'autre supportable. Il avait souvent pris, et ce en
des circonstances très différentes, l'apparence
qu'on attendait de lui. Les gens peuvent mourir de
n'avoir jamais été qu'une composante du décor,
au gré d'une femme, d'un époux, d'un club ou
d'une société, par manque d'appétit de révolte. Il
y a eu dans sa vie deux gestes de colère. Il m'a
raconté le premier quelques jours avant de mourir.
Le deuxième, j'en fus le témoin. Et le quenêpier
mâle, le seul arbre encore debout dans notre cour,
en avait été la victime. J'avais pris logement à la pension afin de m'éloigner de cette compagnie obligée
que constitue la famille. La solitude me paraissait
un bon départ pour rencontrer l'autre, pour pour-
suivre la poésie que j'érigeais en idéal. La jeune
fille était la matière de cet autre souhaité. Sans
doute, y en avait-il plus qu'une. Mais qu'importe

le nombre. Les Aînés m'avaient accueilli, là où elle m'avait rejeté. C'est une bonne justice que leurs vies, leurs secrets me soient restés comme des trésors inépuisables. J'essaie aujourd'hui de mériter le don. Je les revois. Je les entends. Leurs portes me sont ouvertes, leurs vérités et leurs légendes. Mes pas n'hésitent pas à entrer dans leurs chambres. Même celle de l'Etranger qu'il gardait toujours cadenassée, parce que, la véritable clé de son royaume, il la portait toujours sur lui. Je les revois tous trois. J'ai devant les yeux le certificat honneur et mérite décerné à Raoul par la Direction générale du service d'eau potable lors de sa mise à la retraite, la seule décoration accrochée à son mur. J'ai oublié la jeune fille de mes vingt ans. Mais je remonte le temps jusqu'aux Aînés pour te parler à toi. Tu dois avoir l'âge qu'elle avait. Peut-être seras-tu comme elle. Je n'oserai donc pas t'aborder. Mais je n'oublierai pas ton nom. D'abord, parce qu'on n'oublie que ce que l'on a cru savoir. Et je ne connais pas ton nom. Et puis, parce que j'atteins la limite d'âge qui ne laisse plus à l'homme le loisir d'oublier ce qui lui tient à cœur. J'ai peu de temps. A peine ce qu'il faut pour tenter de s'accrocher à quelque chose ou à quelqu'un avant de s'en aller. Juste ce qu'il faut pour se souvenir, chasser la mauvaise part, et espérer à toute vitesse.

L'Historien et Raoul m'invitaient souvent à entrer dans leurs chambres. Les chambres n'étaient pas luxueuses, et de la mienne aux leurs il n'y avait pas dix pas, en comptant l'allée et les marches. Cependant, je prenais plaisir à ces visites. J'avais la vingtaine triste et j'aimais partager la nudité de leur univers, cette odeur de mémoire qui donnait l'impression d'un savoir sur le temps, l'atmosphère sereine d'une possible sagesse. Ils venaient aussi dans ma chambre, et nous parlions des choses courantes.

Des quatre portes, seule celle de l'Etranger fermait sur un mystère. L'Etranger était le plus ancien des locataires. Je le savais par Raoul. L'année de sa retraite, Raoul était venu s'installer à la pension. L'Etranger y vivait déjà. Sa porte toujours fermée. Par tous les ciels. Sa fenêtre aussi. Raoul s'était informé auprès de la propriétaire sur cet étrange voisin de chambre qui se barricadait par tous les temps : au plus fort de la saison sèche, quand l'air est coupant comme une lame de rasoir et qu'on espère en vain le baiser de la rosée ; après les pluies d'avril, quand l'eau a chassé la poussière, et monte dans la nuit l'odeur de la bonne terre. La propriétaire n'en savait pas trop : c'était un homme qui avait voyagé, et qui payait son loyer à l'année, en dollars canadiens. A la mort de l'Etranger, nous

sommes allés chez elle pour obtenir des renseignements sur la famille de notre ami, ses parents
proches, dans le but de les contacter. C'est une
mission difficile que d'avoir à interrompre le quotidien d'une personne que l'on ne connaît pas
pour lui dire : vous avez un mort. La propriétaire
nous était reconnaissante d'accepter de nous en
charger. Elle avait cherché dans un tiroir rempli de
carnets de reçus. Elle possédait peu d'informations, refusait la charge d'avertir la famille, mais ne
parvenait pas à mettre un terme à ses sanglots.
C'était une bonne bourgeoise, elle pleurait l'inconnu qui payait en devises.

Dans la hiérarchie des présences, l'Historien
était le troisième arrivé, le plus jeune des Aînés. La
porte de l'Etranger était restée fermée au spécialiste du passé. A mon arrivée, il m'avait pris en
affection – j'étais le seul à échapper à ses engueu-
lades – mais il ne m'avait pas ouvert sa porte pour
autant. Cette porte fermée constituait un objet de
discussion entre Raoul et l'Etranger. Cachait-elle
des trésors rapportés de ses voyages ? Tout voyageur conserve des objets de valeur qui ponctuent
des moments, lui permettant, au besoin, de revenir sur sa route et fixer des souvenirs. Peu importait à Raoul. Ce vieux fou malpoli nous prenait-il
pour des voleurs ? Il accusait l'Etranger d'être un
vieil homme sans manières à qui ses voyages
n'avaient rien enseigné s'il ne comprenait rien à
l'amitié et à la politesse ! "L'amitié, c'est quand je
vais chez toi et que tu vas chez moi. L'amitié, c'est
quand je peux te déranger à n'importe quelle
heure. Un jour, tu seras en train de crever dans
cette chambre, et personne ne pourra te venir en
aide !" Mais l'Etranger n'avait pas besoin d'amis, et
il ne crèverait pas ici. Il se préparait de nouveau à
partir ! Libre à Raoul de se rendre chez ses amis.

N'était-ce pas ce qu'il faisait de ses samedis ? Le samedi, en effet, Raoul visitait ses amis. Il en comptait un très grand nombre. Morts, pour la plupart. Des employés de la fonction publique, comme lui, qui avaient en leur temps traversé le pays pour installer des conduites d'eau dans des villes assoiffées. Des ouvriers du bâtiment, des travailleurs manuels qui avaient vieilli vite. "Regarde les mains d'un homme, et tu sauras s'il a servi à quelque chose dans sa vie." Raoul me disait cela en me montrant ses mains, des battoirs calleux, ridés mais fermes, des mains de retraité de la force physique, sorti blessé mais victorieux de multiples combats avec les matériaux. Des mains semblables, sans doute, à celles de ces amis dont il vantait parfois les humbles prouesses sur un chantier, dans une usine. Il était le chroniqueur de cet héroïsme du quotidien qui tue les rudes travailleurs sans que personne, à part leurs veuves, ne songe à vanter leur mérite. Pour leur rendre justice, il avait noté dans un calepin leurs noms, les dates de décès, l'emplacement des tombes. Le samedi, il faisait sa tournée des cimetières.

L'Etranger n'avait pas d'amis et ne faisait rien comme tout le monde. Pas la moindre concession à la couleur locale. Tout l'énervait. Tout allait mal. Il se réveillait le matin la bouche déjà pleine de reproches. Il sortait de sa chambre, refermait sa porte derrière lui, jetait un regard circulaire sur la cour de la pension et crachait : "Saleté, va", comme s'il s'adressait au pays tout entier. Comme si les feuilles mortes du quenêpier mâle, l'arbre lui-même, trop grand pour une cour si petite, la cour elle-même et son air triste, rabougri, sa surface inégale : là, le gravier, ici, la terre battue ; ses autres incohérences : trop blanche de soleil et de poussière le matin, trop sombre la nuit à cause de l'arbre qui lui cachait la lune, son portail décoloré et sa clochette à la voix faible, éraillée, symbolisaient une catastrophe plus grande. "Saleté, va" et l'Etranger crachait en visant la clochette du portail. Sur la cour. Sur le pays. Sur les premiers passants et le petit matin. Sur le jour. Sur la nuit. Sur l'hymne national, les huit coups de huit heures, l'ouverture des bureaux, l'Etat, la société, le simple citoyen et ces voix niaises qui chantaient *Bleu, bleu, l'amour est bleu*, comme si elles avaient trouvé les secrets de l'existence dans de telles platitudes. L'Etranger crachait sur "ici". Pour lui, c'était limpide : il y avait "l'ici" et l'ailleurs, le pire et le meilleur. Il en avait marre d'écouter tous les soirs la même chanson et reprochait aux habitants des maisonnettes clouées au pied de la montagne de ne pas prendre leur domicile sur leur dos pour s'en aller chercher ailleurs une vie qui va avec le rêve. "Ils m'agacent, l'Ecrivain ! Leur connaissance du monde, ça ne va pas plus loin qu'une chansonnette française. Un mois qu'ils ne chantent plus que ça ! Tu verras ! Un jour, à force de chanter faux, ils finiront par s'attirer la colère de la montagne. Le peu qu'il reste d'arbres, les pierres, la terre sèche, tout leur tombera dessus. Ça chante faux, et rien ne bouge. C'est le règne de l'immobile." Il désespérait d'amener Raoul et l'Historien à partager ses vues. "Ils sont trop vieux pour me comprendre. Mais, toi l'Ecrivain, tu as l'intelligence de la jeunesse. Vivre, c'est partir." Il m'apportait parfois, sous la forme de vieux disques, les produits dérivés d'un quelconque exotisme : musique des Andes, folklore d'Afrique australe, n'importe quel ailleurs, et il disait, assez fort pour que, de leurs chambres, les autres puissent entendre : "Ecoute ça, l'Ecrivain, pour ton inspiration. Parce que, l'inspiration, ça court pas dans le voisinage !"

Le disque ne répondait pas toujours à la promesse de la pochette. Il m'en avait prêté un qui promettait une suite de Bach interprétée par un grand orchestre. Il me l'avait prêté plusieurs fois en me suppliant de ne pas l'abîmer. C'était, répétait-il, l'un de ses préférés. Hélas, pas le moindre instrument, interprète ou compositeur. Les virtuoses annoncés ne jouaient que des bruits : gargouillis, sifflements, tapage et chuchotements. J'ai mis des soirs à réaliser que c'était la musique du vent. Je n'en ai jamais discuté avec lui. L'avait-il seulement écouté ? Mais pourquoi poser des questions auxquelles on peut soi-même apporter une réponse ? Il m'aurait juré, ses yeux de tour du monde brillant dans la pénombre, qu'un disquaire de Paris ou de Valparaíso s'était foutu de sa gueule et qu'il avait souhaité me faire goûter la plaisanterie.

Paris, Valparaíso… La bouche de l'Etranger vivait de toponymes. Chaque phrase était un long voyage. Elle commençait dans un pays, virgule, s'attardait dans les rues d'une ville frontalière, se prélassait, virgule, longeait, tranquille, la frontière, la traversait, virgule, changeait de cap, point barre, prenait la mer, virgule, plongeait dans les eaux vertes d'un ou deux océans, sortait de l'eau, virgule, et reprenait sa route sans savoir son chemin, sautait, légère, d'île en île, s'arrêtait, suspensions, pour respirer un temps l'odeur d'une vieille ville ou l'odeur d'un jardin, s'offrait, indépendante, des ciels, des paysages, pour ne finir qu'au bout d'un vaste itinéraire, sur une terre éloignée de son commencement.

Maintenant que j'y pense en refaisant ses voyages pour te les raconter, éclatées qu'elles étaient, je crois que ses phrases cachaient un noyau. A-t-il trouvé ce qu'il cherchait ? Et qu'était-ce ? Raoul n'avait pas tort de dire qu'en croyant à sa différence l'Etranger n'était rien qu'un homme comme les autres. Un chercheur de sens, désireux de trouver les formes les plus justes derrière tous les "je t'aime". C'était un justicier, un sacré correcteur, qui voyageait toujours dans des histoires d'amour.

Raoul n'allait pas chercher loin. Il avait des joies simples. *Bleu, bleu...* Son ouïe se contentait du chant des maisonnettes et lui trouvait un sens : les nuits des pauvres sont si longues qu'il faut de la voix pour tenir. Raoul cherchait un sens à chaque chose, une portée secrète au moindre fait divers. Tout mot, tout geste devait cacher un idéal. L'Etranger lui soupçonnait une formation de groupe, scout, voire communiste, dans sa lointaine jeunesse. Quand il était vivant. L'idée de l'Etranger, c'était que Raoul était mort depuis longtemps mais continuait d'imiter les gestes des vivants, par habitude, et qu'à force de visiter régulièrement les cimetières de la ville pour faire la causette aux défunts un jour il finirait par constater le ridicule de sa présence, et fatigué d'être lui-même, un vieux chagrin sans importance, il demanderait asile à un plus mort que lui qui lui prêterait un coin de tombe. Raoul ne répondait pas aux attaques. Il se contentait de siffloter *Bleu, bleu...* L'Etranger supportait mal la banalisation de ses paroles et se lamentait de crever sur place avec un mort pour voisin de chambre après avoir réalisé trois fois le tour complet du monde et fréquenté tant de belles femmes. Il ne pouvait se résigner à garder pour lui seul le souvenir de ses amours. Je connaissais de l'amour le refus d'une demoiselle qui devait être très jolie pour mes yeux de l'époque. Elle avait d'abord dit peut-être. De peut-être elle était vite passée à non. Les performances de l'Etranger m'impressionnaient moins que le nombre de femmes qui lui avaient dit oui. J'ai vécu au plus près des mots depuis l'âge de vingt ans. J'en ai lancé à la tête des gens, parfois comme des coups, parfois comme un appel à entrer dans un rêve. Les critiques, les lecteurs me les ont bien rendus. J'ai écrit, pour certains, des romans réalistes, trop crus pour être beaux. Pour d'autres, j'ai commis quelques pages acceptables. Mais la violence de trois lettres qui tournent à leur contraire a nourri en moi une telle peur que j'éprouve une admiration sans bornes pour ces hypnotiseurs qui, d'un geste, d'une phrase, ou du fait de leur simple tenue vestimentaire ou de leur apparence physique, ont mérité ce oui. J'admirais l'Etranger. Un tel homme ne vous laisse qu'une alternative, le détester ou l'admirer. Il avait le sens du partage. Ses femmes, nous étions quatre à les connaître. Ses bras avaient si souvent dessiné leurs formes, ses mains caressé leurs cheveux et sa bouche embrassé leurs lèvres en notre présence. Elles étaient devenues des êtres familiers. Nous connaissions leurs corps par cœur. Chacune avait son jour de règne pour être la plus belle. L'Etranger maintenait ses amours dans une égalité parfaite. Son cœur ne trahissait aucune de ses maîtresses. Le lundi, Mercedes, la mulâtresse aux cheveux noirs, offrait à Panama City un spectacle plus beau que le miracle des bateaux devant lesquels s'ouvraient les écluses du canal. Le mardi, le ciel brillait pour Gwendolyn, la blonde qui inventait chaque fois de nouveaux gestes. Véronique. Christine. Ana-belle. Tamar, la Noire au nom de juive. Sa mère avait cherché dans le Livre des Rois un prénom d'origine biblique. Tamar avait appris la leçon et n'oubliait jamais que ton Dieu te regarde et punit les péchés. Chaque fois qu'ils faisaient l'amour, elle laissait l'initiative à l'Etranger et fermait les yeux. Elle se pinçait les lèvres quand venait le plaisir. Comme ça, aux yeux de Dieu, elle ne serait qu'à moitié coupable. Islande, au prénom de pays, qui, elle, ne jouait pas la morte et pouvait jouir dans plusieurs langues. Nous ne pouvions pas le haïr. Tout en nous fermant la sienne, il avait fait entrer dans nos chambres de superbes héroïnes de toutes les couleurs. C'était un remède au poison des croûtes décolorées de la peinture à l'huile tombant sur le parquet comme une malédiction. Finalement, *Bleu, bleu, l'amour est bleu...* Malgré tous ses voyages et toutes ses jolies femmes, l'Etranger était comme tout le monde. Lui aussi voulait donner un sens aux choses. Ainsi parlait Raoul. Et comme Raoul parlait peu, quand il prononçait une sentence et jugeait nécessaire de la répéter, on pouvait se sentir petit comme le croyant devant l'oracle. Vexé, l'Etranger cherchait une cible pour se venger de la vie. Il disposait d'une proie facile, d'un symbole du désœuvrement qui attendait là, bon pour toutes les injures, la tête penchée sur son livre, la bouteille à portée de la main, un homme auquel on pouvait dire merde, vieille peau, vieux raté, sans qu'il élevât la voix pour se défendre, pour protester, même s'il n'était ni tout à fait vieux ni tout à fait raté, simplement là, habitant le silence, soit par manque d'énergie, soit par blessure profonde, un homme tellement abattu qu'il était facile de l'abattre, une fois, deux fois, trois fois de suite, toutes les fois qu'on voulait cracher, dégobiller, avilir, agresser pour se sentir vivant et être content de soi. L'Etranger s'armait parfois de cruauté pour vérifier qu'il existait. Il s'en allait frapper à la porte de l'Historien et lui demandait quand est-ce qu'il déménagerait de la pension, quand est-ce, merde, qu'il retournerait chez sa femme, dans sa villa des beaux quartiers, avec ses livres, sa fille, ses tableaux de maîtres et sa télécommande, ses chiens, ses bonnes, ses pantoufles, son gardien et son système de son ? Il détachait chaque mot en faisant exprès de classer les personnes, les animaux et les choses dans n'importe quel ordre, pour les mettre à égalité.

J'ai ignoré jusqu'à sa mort le vrai nom de l'Etranger. Celui de Raoul était inscrit sur son certificat honneur et mérite : Paul-Emile Raoul Baptiste. L'Historien était célèbre. Plusieurs ouvrages. Une belle épouse, la fille d'un sénateur de la république qui, en son temps, avait fait trembler les ministres quand il montait à la tribune. Lui-même venait d'une famille aisée. Il était né dans une bibliothèque. Son père avait gagné suffisamment d'argent dans le commerce immobilier pour se payer une vie d'esthète. Un beau mariage. Une belle carrière. Tout pour finir dans le dictionnaire biographique. Personne n'avait compris pourquoi le brillant professeur d'histoire et amateur de théâtre était sorti un matin de la rubrique mondanités, d'une vraie famille, des cercles mondains et du comité exécutif de l'auguste Société d'histoire, pour s'installer à la pension et se noyer dans l'alcoolisme. Il faut une cause à tout. Pourtant les gens avaient cherché et n'avaient rien trouvé. A sa période de gloire, l'Historien flirtait souvent avec ses étudiantes, mais ce n'était pas là une chose exceptionnelle. Le motif aurait plutôt joué au bénéfice de sa femme, et elle n'était pas du genre à divorcer. Vice-présidente depuis toujours d'une association parentale organisant des conférences à l'intention des jeunes filles sur le rôle de la femme dans la vie conjugale, elle n'était pas non plus du genre à avoir des amants. Elle était venue une fois parler aux pupilles du collège. Ce jour-là je n'avais pas donné mon cours, mais les sœurs avaient exigé la présence du corps professoral. Elle avait parlé une heure. De la fidélité. J'écoutais vaguement. Le mot lui revenait tout le temps dans la bouche, comme un tic de langage. Sa certitude qu'une personne est la quantité suffisante pour satisfaire la vie durant les besoins d'une autre personne ne souffrait pas de doute. Je n'avais pu m'empêcher de rapporter à l'Historien la visite de sa femme au collège. Il m'avait écouté sans rien dire, puis il s'était mis à rire. Un rire interminable. Vif. Frais. Un rire comme un accent de jeunesse, d'énergie. Un rire beau comme l'enfance, comme les voyages de l'Etranger. C'était la première fois que je le voyais rire. C'était la première fois que je le voyais heureux. C'était la première fois que je le voyais réagir à quelque chose. Le lendemain, nous avons pris notre café ensemble, et il a dit, interrompant une phrase sur les conflits terriens dans les petites Antilles à la fin du XIXᵉ siècle, qu'il croyait que sa chère moitié aurait appris à jacasser sur d'autres sujets maintenant qu'elle n'avait plus personne à qui rester fidèle. Puis il avait repris la route des Caraïbes, retour aux démêlés entre planteurs, grands et petits, avides de terres et de pouvoir. L'Historien n'était pas un homme de confidences. Il jetait des bribes de son ancienne vie à un rythme très lent, laissant beaucoup de temps, un jour, voire une semaine entre deux informations. "J'ai une fille, mais elle ne chante pas. Sa mère, non plus, je ne l'ai jamais entendue chanter." Il pouvait nous dire ça un soir, s'enfermer toute la nuit dans son silence et dans sa chambre, et attendre notre réunion matinale du lendemain dans la salle du petit-déjeuner pour ajouter : "C'est triste

d'avoir une fille et de ne pas savoir si elle chante."
Des bribes de vie. A peine audibles. Sa voix l'avait
quitté. Lui restait le feulement d'une gravité perdue, comme si quelque chose s'était coincé dans
sa gorge et le faisait parler de loin, d'un désespoir
ou d'une caverne. Oui, l'Historien parlait avec son
piège dans sa gorge, le poids et la mouillure de
tant de choses tues. Pour l'écouter il fallait une
dose d'effort proportionnelle à celle qu'il mettait à
parler. Une voix morte, perdue. Une voix cassée,
plus rauque que de raison, qui savait suivre le
cours des siècles, relever l'importance d'un fait ou
d'une année, marquer le pas quand il ne se passait rien d'intéressant, revenir sur un détail oublié
par l'histoire officielle. Mais qui se refermait sur
ses douleurs intimes. Comme cette plante étrange
que les enfants appellent la feuille de la honte, qui
s'ouvre aux questions anodines du matin, et se
ferme le soir quand les petites filles lui demandent
de qui elles tomberont amoureuses, demain, quand
elles seront grandes. L'Historien abandonnait son
mutisme seulement pour invoquer les dates et les
faits historiques. Raoul, généreux, laissait parler
les autres. Mais les héros et les bâtisseurs en-
nuyaient l'Etranger. L'Historien remontait très loin
dans le passé, l'Etranger entendait nous conter son
vécu. Et c'était tous les soirs la guerre des soli-
loques entre hier et là-bas, la bataille à deux voix
entre le carnet de voyage et les éphémérides, l'une
cherchant son salut dans la mémoire du monde,
l'autre se réclamant de sa géographie. L'Etranger se
payait toujours le dernier mot et l'Historien, vaincu,
retrouvait son silence.

Voilà peut-être un thème pour le modérateur :
écrire, parler, se perdre entre l'ailleurs et l'hier. Mais
je t'ai vue bâiller et regarder ta montre. Toutes ces
palabres doivent t'ennuyer. Quand ce sera mon

tour, j'essaierai d'être bref. Voilà pourquoi je préfère l'écriture à la parole. Tout discours amoureux au destin improbable ne devrait être que rédigé. Quand on écrit, la distance est très grande entre la main tendue et la voix qui dit non. On n'entend pas la voix. On ne regarde pas l'indifférence du visage. Et si l'on pleure, on pleure tout seul. Et si les critiques vous emmerdent à vouloir percer vos secrets, on peut toujours argumenter qu'on parlait d'autre chose.

Bleu, bleu… J'habitais la pension depuis une année. J'écrivais des poèmes. L'Historien était le seul à les lire mais il n'osait jamais un commentaire. Raoul et l'Etranger ne lisaient pas. Raoul m'interrogeait sur les activités du syndicat d'enseignants que mes collègues et moi essayions de créer. L'Etranger voyageait vers ses anciens voyages. Je n'ai aucun souvenir des vers que j'écrivais ni du visage de cette jeune fille qui me les inspirait. Les vers étaient mauvais. L'Historien ne faisait pas de commentaire et me cachait son sentiment, mais je n'entretenais guère d'illusions sur mon talent de poète. Un beau vers arrête le pas du passant, détourne une femme de son chemin. Un beau vers, ça crée des liens indestructibles. Je pensais cela. Mes vers ne détournaient quiconque de son chemin. Les Aînés m'appelaient l'Ecrivain, mais ils étaient les seuls. Entre la jeune fille et moi, il n'y eut pas d'histoire d'amour. De son côté, l'outrage. Du mien, le ridicule. *J'avais cru… Non, tu t'es trompé…* Ma poésie était née d'un sot malentendu et l'avait prolongé, du moins dans mon esprit, bien plus de nuits que nécessaire. L'amour était une fiction, le réel était proche, à portée de la main. En perdant le goût des jeunes filles, j'ai écrit sur la faim, la prison, les enfers. J'ai toujours pris beaucoup de notes sur les conditions réelles d'existence des personnes qui m'ont inspiré mes personnages. Je n'ai pas besoin de fiches pour retrouver mes vieux. Tu les as réveillés. Ai-je de nouveau, en te voyant, atteint l'âge de mes mauvais poèmes ? J'écris sans savoir où je vais. J'écris où va la phrase. C'est moi que j'écris. Je n'ai pas la réponse à la question posée ce matin par le modérateur, à savoir que peut ou ne peut pas la littérature. Je sais seulement qu'en te voyant dans la salle, toi à qui je n'oserai sans doute jamais adresser la parole, j'ai ressenti la même envie de me livrer, de toucher quelqu'un par les mots. Depuis cette jeune fille dont j'ai oublié le nom, je n'ai plus écrit ni pour convaincre ni pour séduire. En arrivant ce matin, j'avais prévu de témoigner de l'impossibilité du texte littéraire. Dire ces phrases que l'on dit, le ton sec, l'air désabusé, pour montrer qu'on a bien compris qu'il ne reste rien à comprendre. Je ne sais plus ce que je dirai, quand ce sera mon tour de parler. Peut-être n'assisteras-tu pas aux prochaines séances. Ta patience peut vite s'épuiser, et rien ne t'oblige à tenir les six jours. Six jours de bavardage, chacun parlant de lui, de son art, de son œuvre. Chacun théorisant à l'infini sur des choses simples. Et le soir, au bar de l'hôtel, les restes des palabres du matin. Il y a des chances que tu t'en ailles avant que je prenne la parole. Les mots n'auront donc aucune importance. Le seul roman qui vaille est le roman de la rencontre.

Les derniers jours avant sa mort, dans sa chambre d'hôpital, l'Historien me pressait d'écrire un roman d'amour. Je lui avais avoué mon manque d'expérience. J'avais toujours vécu seul. Je ne m'étais jamais intéressé aux intrigues amoureuses. J'avais vu quelques films érotiques se prenant pour des œuvres d'art du seul fait de "ne pas tout montrer". Pas plus admirables à mes yeux que le cru ennuyeux des scènes pornographiques. Je n'aimais pas l'amour. Je m'occupais du syndicat et je poursuivais mon étude de la pauvreté dont je venais tout juste de tirer un livre. Une sorte d'étude de cas sur le pouvoir de la misère. Je développais mon étiquette de romancier des grands malheurs et entretenais des certitudes concernant la puérilité des testaments lyriques. L'Historien m'a dit ce jour-là que mes poèmes n'étaient pas si mauvais que ça, que je m'étais peut-être trompé de jeune fille. Il m'a raconté une histoire. Pas la grande. La sienne. Je sais pourquoi il est parti loin de son ancienne vie. Ce qu'il avait perdu. Et ce qu'il voulait retrouver. Non pour lui. Pour les autres. Une belle histoire d'amour qui tiendrait le coup. Il se savait mourant mais il ne voulait pas donner à son histoire une portée universelle. Vers la fin, sa voix était devenue un râle, mais ce n'était pas un râle triste. J'en ai déduit, je n'ose pas encore le crier en public, le devoir d'apprendre à écrire sous la dictée des absents pour fondre toutes les vies en une seule grande histoire. J'écris pour te parler et garder en mémoire l'étrangeté des chemins qui conduisent à l'amour.

J'ai dit : tu connais la chanson. Rien n'est moins vrai, peut-être. Toutes les époques n'ont pas le même savoir. L'Historien était obsédé par cette capacité qu'a l'espèce humaine d'oublier demain ce qu'elle croyait savoir hier. Il avait publié dans sa jeunesse une monographie sur les constructions militaires de l'époque coloniale et du XIXe siècle. En leur temps, elles paraissaient indispensables et avaient vu de grandes batailles. Des héros y avaient établi leurs quartiers pour attendre des envahisseurs, puis leur légende, pour y avoir trouvé la mort. Aujourd'hui, ces restes dispersés de l'architecture de la guerre ne servent plus à rien. Personne ne vient plus mourir de mort violente au cœur des citadelles. Les chèvres paissent, tranquilles, dans les ruines des forts. L'herbe pousse dans les salles de garde. Les enfants, faute de jouets, grimpent au sommet des collines, font rouler quelques vieux boulets au bas des pentes raides, essaient de descendre plus vite que les boulets, perdent la course, remontent les boulets et recommencent le jeu. Les soirs de pleine lune, des adolescents en guenilles font l'amour sur les pierres puis s'endorment à côté des débris de canon. Tous profitent de l'aubaine d'une citadelle tombée, et leur savoir s'oppose à celui des guerriers. Demain, des sites touristiques voleront l'herbe aux chèvres. Le centre de jeu sera payant. Et les adolescents, devenus des parents, auront la nostalgie de leurs vieux terrains vagues. Le défaut de chaque époque, c'est de se prendre pour l'éternité. De ma jeunesse à la tienne, il est passé tant de chansons. Ce matin, pendant la pause-café, j'ai eu une forte envie de m'approcher de toi. De verser du café sur la veste du professeur entreprenant. J'ai craint de ne pouvoir te dire que des mots qui datent d'hier. La vitesse moyenne d'expression du désir doit varier avec chaque époque. J'ignore quels sont en ce nouvel âge les mots de l'affection. Il m'est plus facile de raconter une histoire à des inconnus qui ne sauront de moi que mon nom, une sotte notice biographique en quatrième de couverture, que de tenir une conversation avec une jeune femme qui peut voir mon visage, scruter mes traits, et se faire de ma personne une idée la poussant à prendre la fuite. J'ai peur de la proximité. Ecrire est moins vain qu'on ne le croit. C'est la proposition d'une présence différée. Ce matin, il n'y avait entre toi et moi que le corps et le bavardage incessant d'un professeur qui établissait le lien entre la littérature et l'exil, les yeux baissés sur ton corsage. J'aurais pu m'inviter à votre conversation, renverser exprès ma tasse sur son cartable, vous demander de pardonner ma maladresse, développer moi aussi l'exil et la littérature, la littérature de l'exil, l'exil dans la littérature, n'importe quoi et n'importe quoi. J'aurais pu ensuite t'inviter à prendre un autre café pendant la prochaine pause-café, et, plus tard, un verre au bar de l'hôtel. Je n'ai pas osé. L'Etranger aurait dit : "Il n'y a qu'à te lancer. La première fois que j'ai pris un bateau…" Je préfère t'écrire ce roman d'apprentissage par vieux messieurs interposés. Je me protège en cultivant cette prudence si chère aux auteurs réalistes.

A l'âge où ça devient une habitude d'aller au cimetière, les rêves peuvent paraître bêtes. Depuis
quelques années les gens de ma génération se
sont mis à mourir. Leur départ me touche moins
que celui des vieux de la pension, mais j'y assiste,
par routine. A la rue de l'Enterrement, les enfants
des rues qui ont installé des petits filets pour jouer
au foot devant l'entrée principale du grand cimetière me reconnaissent. Ils arrêtent leur partie pour
me saluer. La première fois que je les ai vus, c'était
le jour des funérailles de l'Historien. Leurs pieds
nus, le ballon déformé juraient avec la robe noire
de la veuve et les costumes sombres des messieurs de la Société d'histoire. Il y a longtemps. Ce
sont maintenant d'autres joueurs et un autre ballon. Mais je revois toujours le visage de la fille de
l'Historien. J'entends ses larmes. La mort lui avait
donné ce que la vie lui avait refusé, un père dont
elle pouvait être fière. A la mort de l'Historien, son
monde l'avait récupéré. Ils l'ont rasé, lavé, pour
des funérailles officielles. Le président de la Société
d'histoire a prononcé un beau discours, et ils l'ont
enterré au grand cimetière du centre-ville où les
morts entrent riches pour s'appauvrir au fil des
nuits, perdant qui un chapeau, qui une montre-
bracelet, chacun un souvenir au profit des pilleurs.
Ils avaient fait de lui un défunt présentable, et son
nom avait opéré un retour triomphal dans la rubrique mondanités. Pour un dernier hourra, à la page
des décès. C'étaient des funérailles tristes à point,
avec des messieurs bien mis et des femmes sèches
comme l'amidon, le visage fermé. Des femmes en
pierre, obscènes de leçons bien apprises, qui
devaient, elles aussi, siéger au conseil de la haute
vertu tout en se disant : c'était quand même un
beau salaud, s'en aller comme ça, laissant Isabelle
avec une fille à élever, en espérant que leurs époux

à elles ne s'en iraient que longtemps après avoir perdu comme elles l'envie de vivre et le goût du plaisir. Des maîtresses femmes qui ne reculeraient devant rien pour sauvegarder les apparences. C'étaient des funérailles réussies, l'application parfaite d'un manuel de convenances. Un vrai buffet. Un club *very high class* qui bouffait du cadavre. La veuve a pris la parole. Elle n'avait pas guéri de son tic de langage et louangeait encore la fidélité. La fille de l'Historien s'est levée de son siège. Elle s'est penchée sur le cercueil. Elle a murmuré quelque chose à l'oreille de son père, et elle est sortie. Elle pleurait. Elle était la seule à pleurer de vraies larmes. C'était la deuxième fois que je la voyais et la deuxième fois que je la voyais pleurer. Elle était venue à l'hôpital. Elle était arrivée au moment où l'Historien me parlait de la maison de vacances où il se rendait dans son adolescence en compagnie de ses amis. Il avait continué sans savoir qu'elle l'écoutait. Il parlait et je la regardais pleurer en silence. L'Historien, sans avoir jamais su se battre, a fini par gagner. Depuis ce jour à l'hôpital, sa fille a décidé de lui ressembler. Elle n'a réclamé de l'héritage familial que la petite maison de vacances. Le reste, elle n'y a pas touché. Elle s'appelle Madeleine et vit seule comme beaucoup de femmes qui s'appellent Madeleine. Elle reçoit quelquefois des hommes qui passent la nuit et repartent tôt le matin. Je ne suis pas son amant. Je ne suis l'amant de personne. Je vais la voir une fois par mois, car nous partageons un secret. Nous dînons, puis elle se met au piano et chante, pour rattraper le temps perdu dans son enfance. Nous parlons parfois de mes livres. Du premier. Un prétexte pour arriver à cet homme qu'elle connaissait mal. Elle a conservé l'exemplaire que j'avais offert à l'Historien. Lorsqu'il avait dû quitter la pension pour l'hôpital, je venais juste de publier mon premier roman. Je lui en avais apporté un exemplaire dédicacé dans sa chambre. Il l'avait rangé dans sa malle à côté de ses classiques préférés. Mes mots, l'histoire d'un quartier pauvre que j'avais vaguement fréquenté, étaient entrés dans sa boîte au trésor. Les quelques honneurs que le livre a pu récolter par la suite ne représentent rien devant ce geste. Les seules vraies réussites sont de l'ordre de l'intime. Aucun prix littéraire ne vaut la malle de l'Historien. On ne devrait écrire que "pour toi". Cela dit, je n'ai jamais osé dédicacer un de mes ouvrages. J'ai voulu assumer une sorte d'aventure sans complice. Comme l'Etranger qui répétait qu'on ne devait partir en voyage que seul. "Quand tu pars, l'Ecrivain, n'emmène personne avec toi. Les compagnons de route, ça bouffe le paysage." Je lui demandais si Tamar, Mercedes et les autres faisaient partie du paysage. Sans avoir lu les poètes, il pouvait parler comme eux. Il disait que chaque femme était une halte et un repère. Il aimait les aimer et couchait encore avec elles dans sa chambre. Nous savions que l'une d'elles était là quand, dans l'interstice entre le bas de la porte et le plancher, une tendresse bleue nous faisait un clin d'œil. Certains soirs, s'il avait besoin d'amour, l'Etranger remplaçait la lampe blanche à soixante watts de sa chambre de solitaire par une ampoule de couleur. Il devait monter sur la table de chevet et se hausser sur la pointe des pieds pour atteindre le réceptacle incrusté au plafond, redescendre, repousser la table à sa place habituelle, se coucher dans un lit de rêves, et sous le ciel bleuté d'une lune d'intérieur il partait en voyage avec une de ses femmes.

Les Aînés avaient leurs façons avec les femmes.
Chacun son style. La femme qui visitait l'Historien
était bien réelle. Elle venait le dimanche matin. Il
la recevait dans sa chambre. Et lui qui, au quotidien, ne faisait rien que boire son rhum et relire
des vieux livres, préparait le café, ouvrait la porte
et la fenêtre pour aérer la chambre et chasser
l'odeur du tabac froid. Le samedi, il me donnait de
l'argent pour faire ses courses, et je lui achetais
des gâteaux et une liqueur d'anis qu'il sirotait le
lendemain en compagnie de sa visiteuse. La porte
restait ouverte. Il ne se passait rien de sexuel entre
eux, en tout cas, rien de visible. Elle nous appelait
tous "monsieur", et nous reconnaissions à sa voix
son origine modeste. Elle avait ce timbre des
humbles et des personnes déplacées dont la voix
parle en reculant. Une petite dame dans sa qua-
rantaine qui marchait d'un pas timide et malha-
bile. L'âge peut n'être rien devant les habitudes
sociales. On aurait dit l'une de ces fillettes des
quartiers pauvres qui, le matin du Jour de l'an,
empêtrées dans leurs robes neuves et leurs chaussures serrées, traversent les rues des beaux quartiers pour aller voir leurs bonnes marraines. C'était
la même gêne. Et la même origine. Dans ses
moments de grande colère, l'Etranger ne retenait
rien. Un soir qu'il était énervé d'attendre depuis

longtemps la livraison de son passeport, il s'en était pris à l'Historien d'avoir quitté une femme instruite, un peu décatie mais encore présentable, pour une presque rien, une pauvrette aux allures de marchande de friture, aussi belle que ces poupées artisanales que des fillettes mal lavées fabriquent à leur image dans les orphelinats. Ce soir-là, l'Historien a posé sa pipe dans le cendrier, il s'est levé de la chaise qu'il avait installée dans la cour pour faire sa lecture, sa bouteille sous le bras il s'est dirigé vers sa chambre sans rien dire, sans tituber, marchant droit, résolu, comme un homme qui n'a pas bu pèse, serein, chacun des gestes qu'il va faire, il est entré dans la chambre, il en est ressorti sans la bouteille, avec un canif dans sa main droite, et il l'a lancé de toutes ses forces, en visant la poitrine de l'Etranger, la main ferme, le regard accompagnant la trajectoire du couteau. Il a raté l'Etranger. Pas vraiment. Le canif a blessé le manteau, traversant le tissu, avant de se briser contre la base du tronc du quenêpier. L'Etranger a voulu crâner en criant que l'Historien n'était pas même foutu de bien viser, qu'il n'était qu'un vieux fou qui tirait sur les arbres. Mais il ne pouvait s'empêcher de baisser des yeux pleins d'inquiétude sur la blessure du manteau, de passer un doigt dans le trou. Le lendemain, l'Historien est allé s'excuser. Il a offert à l'Etranger de le conduire chez un grand tailleur pour réparer le manteau. L'Etranger a accepté. Ils sont partis ensemble, et l'Etranger n'a plus jamais fait la moindre allusion à la visiteuse de l'Historien. Le dimanche suivant, quand elle est arrivée, l'Historien est allé l'accueillir au portail, ils sont passés exprès devant l'Etranger qui vérifiait une énième fois le fonctionnement de la serrure de la porte de sa chambre et du gros cadenas (deux précautions valent mieux qu'une) qu'il avait acheté au Marché en Fer et qu'il utilisait comme mesure de sécurité quand il fermait sa porte de l'extérieur. L'Etranger a dit "bonjour madame" avec un brin de déférence. Je me suis souvent demandé s'il avait suffi d'un couteau pour faire une dame de la pauvresse dans le cœur du vieux voyageur. L'Historien lui avait-il conté son histoire ? Ou, plus simplement, les agressions verbales de l'Etranger ne cachaient-elles qu'une tendresse inversée ? Lorsqu'il jouait la colère, son manteau parlait à sa place. Le manteau de l'Etranger, c'était comme une peau à l'envers, comme s'il voulait recouvrir son corps de l'enveloppe d'un anti-miroir. Toujours est-il qu'après l'épisode du canif il a cessé d'agresser l'Historien.

Raoul ne recevait jamais de femme à la pension. Ni en vrai. Ni dans ses rêves. Il passait ses journées dehors. Le samedi, il faisait sa tournée des cimetières. En semaine, nous ignorions où il allait. Un taxi venait l'attendre devant la pension, et il partait après avoir consulté son calepin en buvant son café. J'en déduisais qu'il avait contracté des abonnements avec des chauffeurs qui le conduisaient à ces destinations inconnues de nous. Il ne circulait qu'en taxi, sauf à l'intérieur des cimetières dont il aimait longer les allées pour accorder du temps aux morts. Encore une chose dont j'ai eu connaissance plus tard : les femmes auxquelles parlait Raoul. Les femmes de l'Etranger vivaient dans son regard. Raoul parlait à celles des autres. Discrétion assurée, première visite du mois gratuite, il tenait le plus noble des petits commerces de la ville et se débrouillait assez bien avec la recette des visites et son fonds de retraite. Pour un pauvre, il était presque riche. Ça aussi, je ne l'ai su que très tard, après la mort de l'Etranger. Du vivant des êtres et des choses, on a rarement accès à tous leurs éléments constitutifs. Si la mort n'a pas de vertu, il arrive qu'elle libère des secrets et expose au grand jour les mystères d'avant, devenant elle-même secondaire devant l'étendue de la vie qui s'était réfugiée derrière les apparences. Cette nuit où nous avons défoncé la porte de l'Etranger, j'ai rencontré trois vies et leur besoin d'amour. J'ai raconté d'autres histoires à la lecture desquelles quelques dizaines de lecteurs ont bien voulu perdre leur temps. Il est facile de raconter des histoires sans conséquences que l'on tire au hasard des rencontres fortuites ou des dérivés de l'ennui qu'on appelle le rêve ou l'imagination. Il est facile aussi de raconter les histoires des douleurs quotidiennes qui ne nous sont pas proches, les échecs humains provoqués par l'organisation sociale. L'histoire des Aînés, leurs trois histoires en une seule, je ne l'avais jamais racontée. Peut-être la gardais-je pour une seule personne, celle qui compte. Peut-être n'avait-elle pas encore pris son sens. Aujourd'hui elle me hante, comme on répond à une urgence. Elle commence deux fois. La première, avec la mort de l'Etranger. La deuxième, au moment où je t'ai vue. En cet instant où ta présence dans cette salle m'a fait poser, non en théorie mais seul avec moi-même, une question que j'avais fuie depuis longtemps. Qu'est-ce qu'écrire ? Pour quoi ? Pour qui ? Sur ce livre, j'ai la réponse. C'est leur livre et le tien. Mon vœu et mon silence. Une histoire de besoin et de manque d'amour qui commence deux fois. La mort de l'Etranger. Ta présence dans cette salle. Deux événements éloignés dans le temps. Une histoire d'amour. Le premier événement en marque le début. Le deuxième fait, pour le conteur, du récit une nécessité.

L'Etranger partait toujours le mois prochain. Il attendait un nouveau passeport et se rendait les jours ouvrables au service de l'immigration. L'après-midi, il rentrait, fatigué d'avoir fait la queue toute la journée, content d'avoir engueulé la réceptionniste et deux chefs de service, mais sans le passeport.

Quelle que fût la saison, l'Etranger ne sortait jamais sans son manteau. Pour ne pas se laisser piéger par l'heure locale. Il n'allait pas crever de chaud comme l'Historien qui devait avoir les tripes brûlées par le rhum, ni d'ennui comme Raoul qui ne traînait encore le pas dans le monde des vivants que parce qu'il était pingre jusque dans sa mort même et préférait grossir la liste des cadavres en sursis qui se battent pour une place dans les fosses communes. L'Etranger voulait avoir froid pour être le seul comptable de sa température. Il avait prévu de mourir très loin, à une distance de carte postale. Sa mort nous arriverait par télégramme, et Raoul, qui n'avait pas de culture (un homme qui n'a voyagé que vers des villes sèches, avec un casque et des tuyaux, ne peut avoir aucune culture), aurait du mal à prononcer le nom de son lieu de décès.

Quand il rentrait à la pension à la fin de la journée, l'Etranger faisait sonner exprès la clochette du portail pour nous signaler sa présence. Nous voyions d'abord le manteau. Une ombre sifflotant un air du Pacifique. Il traversait la cour et devenait à chaque pas une forme moins irréelle. Un vrai corps, avec un visage. Son visage était la dernière chose qu'on voyait. Tout son être était caché sous le manteau, et, pour le rencontrer, il fallait passer le mur de son vêtement et arriver jusqu'à ses yeux. Les yeux de l'Etranger étaient une mosaïque, un passeport tous pays. Toutes les merveilles du monde vivaient dans son regard. Les merveilles, et le reste qu'on justifie par les maximes : il faut de tout... L'Etranger avait eu sa part de ce tout-là, et sa mémoire du monde lui sortait par les yeux. Seuls ceux qui l'avaient approché le savaient. Seuls ceux qui, comme nous, s'étaient assis tout près de lui, leurs yeux dans les siens, non pour livrer bataille comme dans un face à face, mais pour aller très loin. Les yeux de l'Etranger nous menaient en balade, et quand ils se fermaient, c'était une fin de rêve. Ils ouvraient chaque soir un grand livre d'images. Nous partions dans le livre. Seule la fatigue venait éteindre leur lumière, l'Etranger posait alors ses bras sur la table, les mains jointes, les coudes écartés, laissait tomber son front dans le creux de ses mains et, s'étant fait un oreiller, s'endormait dans un quelconque pays. Nous le laissions dormir quelques minutes et parlions de n'importe quoi pour remplir le silence. Puis je le réveillais et le conduisais à la porte de sa chambre. J'attendais le temps qu'il mettait à trouver ses clés dans les poches du manteau, libérer le cadenas, tourner la clé dans la serrure, entrebâiller la porte et se glisser à l'intérieur, dans la fente, dans le noir, refermer la porte de l'intérieur en disant "Salut, l'Ecrivain". Il n'allumait que lorsqu'il entendait le bruit de ma machine à écrire. L'Etranger dormait avec sa lampe allumée. Peut-être gardait-il son manteau pour dormir, à cause du froid qu'il s'était inventé pour échapper au rituel de la chaleur accablante qui, de jour comme de nuit, pesait sur nous comme une carte d'identité, une sorte de fiche signalétique d'immobilisme collectif. "J'ai chaud, tu as chaud, il a chaud, voilà ce que c'est que vivre ici." L'Etranger avait froid pour ne pas être en reste avec la variété des climats. Il racontait avoir suivi la ligne droite de l'équateur, de pays en pays, et Raoul, sans se moquer, avait voulu savoir si là aussi il avait gardé son manteau. "Mais non, idiot, le manteau c'est pour ici, pour éviter la fixation, ailleurs c'est ailleurs, et quand on voyage on s'adapte." Les yeux de l'Etranger libéraient des ailleurs. Les gens qui le croisaient dans la rue le connaissaient mal, ignoraient sa fonction, ils ne voyaient que la grande ombre qu'il faisait. Même les enfants, qui le taquinaient et lui donnaient des noms de fou, à cause du manteau.

Il nous avait aussi raconté que dans un pays difficile, peut-être l'Albanie ou le Nicaragua, il avait rencontré un homme qui portait deux montres à son poignet. La première marquait l'heure locale. L'autre n'en faisait qu'à sa guise, sautait les jours tristes, sonnait la nuit le jour. C'était une montre d'humeur qui soumettait le temps et la géographie à son tempérament. Pour l'Etranger, cet homme-là était un génie. Il souhaitait le rencontrer de nouveau, dans un autre pays. Ils iraient faire la fête ensemble. Mais il y avait si longtemps qu'ils avaient sympathisé dans les rues grises d'une vieille ville. L'homme devait être mort. "Les bons ne durent jamais longtemps. Seul le malheur survit. C'est pour cela qu'il ne faut pas rester immobile. Tous les jours, le malheur revient vérifier à quelle vitesse tu peux bouger, et il finit par t'attraper si tu restes à la même place." Et puis, à quoi cela servirait-il de prendre deux fois le même chemin, de revivre les mêmes expériences. Il ne revenait qu'à ses amours : Tamar, Mercedes, Gwendolyn... A part l'amour, vivre c'est bouger, creuser résolument l'écart qui te sépare du malheur. L'homme à la montre folle avait compris cela. On tirait des coups de feu. (Mais était-ce le même homme et était-ce la même ville ?) Parmi les tireurs, il y avait des adultes en uniformes, des brassards, des cagoules, et des enfants. Non, il n'avait pas pu identifier les bons et les méchants, ni auquel des deux camps appartenaient les enfants. Il y avait aussi des tireurs qu'on ne pouvait pas voir, qui s'étaient cachés pour viser, et la mort venait prendre leurs cibles par surprise. L'homme (mais était-ce le même homme et était-ce la même ville ?) avait pris le bras de l'Etranger, ils avaient marché ensemble dans la direction opposée à la guerre, sans parler. Ils avaient marché longtemps (la nuit était longue et il y avait plusieurs villes en une seule, ou étaient-ce plusieurs nuits et plusieurs villes ?) et s'étaient séparés dans un quartier dont les fenêtres restaient ouvertes et donnaient l'impression que, comme dans un tableau vivant assuré de sa bonne nature, personne, jamais, n'avait senti le besoin de gâcher la beauté du paysage en fermant les fenêtres pour une quelconque raison. Dans ce quartier aussi, on entendait les bruits de la nuit, mais ce n'étaient pas des coups de feu. A un balcon, une femme souriait en arrosant ses plantes. L'Etranger avait oublié l'odeur des plantes, mais les fleurs étaient belles, le sourire de la femme aussi. Le quartier, les plantes, la femme, le sourire, tout n'était pas forcément exceptionnel, ce n'étaient que des formes de la vie ordinaire, mais cela changeait de la guerre, c'était donc forcément très beau. Des voix

chantaient. Dans une belle langue. Des voix d'enfants. Oui, pas de doute, ces voix-là appartenaient
au bon camp. Il ne se rappelait pas les paroles de
la chanson. Non, pas *Bleu, bleu, l'amour est bleu*.
C'était une chanson dans une langue étrangère.
L'Etranger ne cachait pas son faible pour les
langues étrangères. Les gens peuvent être si bêtes
et discutent souvent de choses inutiles. Ce n'est
pas très intelligent de trop chercher à les comprendre. Dans un train, alors qu'il voyageait depuis
des jours et qu'une vraie conversation lui manquait, il y avait une femme assise en face de lui.
Elle lui murmurait quelque chose. Il avait sommeil, mais il avait senti que, comme lui, la femme
était restée trop longtemps sans s'adresser à quelqu'un. Dans sa langue à lui, il a répondu qu'il était
content de la rencontre, que c'était dommage
qu'ils ne pussent se comprendre, que les yeux
parlent aussi et ce n'est pas plus mal, il a dit les
mots d'accompagnement qu'on dit dans ces situa-
tions-là, en y mettant son plus beau timbre pour
que ça sonne comme une musique. Ils ont joué le
jeu toute la nuit. A leur descente du train, un
homme attendait la femme sur le quai. La femme
s'est jetée dans les bras de l'homme, puis elle s'est
retournée pour adresser à l'Etranger un geste
d'adieu. Après tout, ils avaient passé la nuit à se
dire des choses incompréhensibles mais agréables.
Lui n'avait dit que des banalités, que la femme
était jolie alors qu'elle ne l'était pas, qu'il aurait
souhaité passer sa vie avec elle, dormir à côté
d'elle, alors qu'en réalité il ne souhaitait rien de
tel. De son côté, la femme n'avait peut-être dit que
des méchancetés, par exemple qu'il n'était pas
beau et il faudrait qu'il soit le seul homme sur la
terre pour qu'elle accepte un baiser de lui ou une
simple caresse. Mais ils n'avaient capté que les

sons, alors tout était bien. La distance entre les mots dont on ignore le sens est inférieure à celle entre des phrases très claires qui courent en sens contraire. Et une conversation idiote dans un train, du moment qu'on ne se comprend pas, c'est beaucoup mieux que le sommeil. Quand on ne s'arrête pas au sens, le plus nul des passants vous paraît un génie, ses mots sonnent comme une musique. L'Etranger avait passé des heures et des heures et des heures à errer dans des villes, rien que pour écouter la musique des passants. Les langues étrangères donnent aux plus vils propos la saveur d'un mystère. Souvent, dans ses voyages, la nuit lui apportait la surprise d'une musique ou le passage d'un couple d'amoureux. Les amoureux ne riaient pas de son manteau. Si l'on riait, de toutes les façons, il ne comprenait pas. "Les injures qu'on murmure dans les langues étrangères glissent sur le manteau. Il n'y a que celles qu'on comprend qui traversent la peau."

L'attente épuisait l'Etranger. Sa grande ombre se cassait chaque soir un peu plus. Raoul m'avait confié qu'il l'entendait geindre la nuit. Malgré mes conseils, il refusait d'aller voir un médecin. Raoul n'avait qu'à continuer de s'occuper des affaires des morts, ses semblables, sans s'en faire pour les vivants. L'Historien aussi en prenait pour sa peine : Un homme qui vit dans une bouteille, un homme qui n'est plus qu'un hoquet, ne peut guère donner de conseils. J'échappais à l'injure. "Ce n'est rien, l'Ecrivain. L'immobilité me vieillit." C'était vrai. Soudain, l'Etranger était devenu vieux. Un homme qui a tant voyagé a dû y mettre beaucoup de temps. Il ne pouvait pas être jeune. Plus il vieillissait, plus les souvenirs se précipitaient dans sa bouche, se querellaient à l'intérieur et le faisaient parler en même temps de beaucoup de lieux, de personnes et de moments très différents les uns des autres. Il disait que les souvenirs c'étaient comme les rots, il y a plus de place dehors que dedans, il faut les laisser sortir.

Nous avions pris l'habitude de placer nos chaises dans la cour, autour de la petite table en fer forgé. Avant de partir, la cuisinière nous préparait du thé qu'elle laissait sur la table. L'Historien et Raoul s'installaient les premiers. L'Etranger arrivait, enveloppé dans son manteau, s'enfermait dans sa chambre le temps de changer de vêtements et de s'envelopper de nouveau dans le manteau, et ressortait dans son costume de ville d'eau, refermait sa porte à clé, vérifiait que la serrure fonctionnait, mettait la petite clé dans la poche de son pantalon de marin, fermait ensuite le cadenas, mettait la grosse clé dans une autre poche, et nous rejoignait dans la cour. Le passeport n'était pas prêt, mais ce serait pour bientôt. Le personnel de l'immigration était à la fois incompétent et jaloux, mais ça ne peut durer toujours. Je m'en irai bientôt. Pour patienter, et parce qu'il savait qu'il allait nous manquer, il nous racontait ses voyages, les choses qu'il avait vues et celles qu'il verrait. Les gens. Les contrées. Généreux, il permettait à l'Historien de glisser quelques références historiques sur une ville ou une place. Chaque souvenir de l'Etranger était un objet rare, un petit théâtre aux accents singuliers dont les personnages n'offraient aucune ressemblance avec les personnes ordinaires que nous connaissions. Grâce à son lot de souvenirs, nous fréquentions l'exceptionnel. Dans un village du bout du monde, une chanteuse unijambiste offrait aux paysans des romances immortelles. Après le dur labeur des champs, satisfaits du volume de céréales et de légumes, les villageois rangeaient leurs outils, se lavaient dans les bassines d'eau fraîche, chacun son tour, sans se précipiter. Les hommes frottaient leurs paumes contre les troncs des arbres pour enlever la calle. Les matrones se mettaient des fleurs dans les cheveux, redevenaient de belles gamines qui ne pensaient pas à demain et défiaient la pluie, les vents, les nuits sans lune, l'étroitesse des chemins, pour rejoindre leurs amoureux à la naissance d'un cours d'eau. Les couples se tenaient par la main pour aller au concert. Même les adolescents qui ont la mauvaise habitude de croire qu'ils inventent le monde ne se trouvaient pas de raison de livrer la guerre aux adultes et venaient s'étendre sur l'herbe, un peu à l'écart, pour affirmer leur différence, et s'embrassaient sans se cacher. Mais leurs baisers ne dérangeaient pas les adultes qui, imitant leurs enfants, réapprenaient à s'embrasser et à parler de choses futiles. Tous les soirs la chanteuse faisait salle comble dans un vieux poulailler transformé en théâtre. Les villageois avaient accueilli l'Etranger sans méfiance. Ils lui avaient offert une place d'honneur, dans les premiers rangs. Il croyait s'être fait piéger et devoir écouter une voix paillarde chantant des querelles de famille, d'interminables rixes, de vieilles histoires d'amants maudits et de doubles suicides. La guitare était posée près d'un tabouret. La chanteuse était arrivée en sautillant à l'aide de ses béquilles. L'Etranger éprouvait de la pitié. L'infirme avait peiné pour prendre sa guitare, se hisser sur le tabouret. De toute sa vie de voyageur, il n'avait jamais entendu une si belle voix. Et les chansons n'étaient pas des chansons, c'étaient les plus beaux des cantiques des cantiques. Personne, nulle part, ne chantait aussi bien l'amour. Le village avait raison de se cacher derrière des arbres et des montagnes. Toutes les grandes villes du monde, tous les Etats voudraient lui prendre un tel trésor. Mais les villageois lui affirmèrent qu'ils ne se cachaient pas. La preuve, ils l'avaient accueilli, et il restait libre de repartir comme de revenir. S'il voulait s'installer, ils prendraient sur leurs terres pour lui faire une parcelle. Simplement, ils n'avaient jamais ressenti le besoin d'aller ailleurs. L'offre était tentante, mais l'Etranger n'avait pas séjourné longtemps dans ce village. A l'époque, il ne pouvait tenir en place et changeait de vie toutes les semaines. Le dernier soir, en guise d'adieu au village, avant de reprendre sa route, il avait eu droit aux confidences de l'artiste. Elle parlait, les mains croisées sur son unique jambe, sa guitare à côté d'elle. Elle admettait avec humour qu'en ce qui la concernait, côté partage des éléments, maman nature s'était trompée : beaucoup de voix et une seule jambe, mais qu'au fond ce n'était pas grave. Comme ça, ces messieurs du public venaient pour l'écouter, pas pour rêver de la sauter. Elle attendait que le village se fût endormi, suivait le cours des rêves des villageois, faisait un tri dans le tas et en retenait les plus beaux pour la matière de ses chansons. Elle aimait chanter l'amour. Comme personne ne lui proposait de le faire avec elle, son chant en devenait plus pur. "Vous savez, monsieur, ici personne ne divorce parce que personne ne vieillit. Vu qu'ils rêvent tout le temps, ils n'ont pas de mauvais souvenirs." Qu'arriverait-il au village à la mort de l'unijambiste ? Nul ne peut vivre éternellement. C'était ma question, celle de Raoul et de l'Historien aussi. Mais eux n'osaient interrompre l'Etranger et lever une querelle. "Il y a des lieux comme ça, où la vie dure longtemps. Et puis, toi qui vis dans les livres, t'es bien placé pour le savoir, n'y a-t-il pas des livres où les gens vivent éternellement ?" L'Etranger donnait des réponses comme ça, qui n'étaient pas de vraies réponses mais des coups de poing dans la pensée, une sorte d'allez-vous-en, de laissez-moi tranquille, qui renvoyaient le demandeur à son propre savoir ou à son ignorance.

L'Historien ne fuyait plus l'Etranger. Il ne s'enfermait plus dans sa chambre à relire ses vieux livres pour éviter l'agression verbale, n'éloignait plus sa chaise de la table pour ne pas avoir à se mêler de la conversation. Les semaines précédant son départ, l'Etranger avait perdu son humeur belliqueuse. Il lui arrivait même de boire un coup avec l'Historien, pour t'aider à vivre un peu plus longtemps. L'après-midi, quand l'Etranger rentrait, si l'Historien se trouvait dans sa chambre, il refermait vite son livre, le rangeait dans sa malle, prenait sa bouteille et sa pipe, un verre pour l'Etranger s'il voulait boire un coup. Il s'installait dans la cour et allumait sa pipe. C'était le signal. Raoul suivait. Il avait changé ses habitudes et rentrait plus tôt, pour ne pas rater le début. J'arrivais parfois en retard au rendez-vous du tour du monde, quand la réunion du syndicat avait duré. Les vieux ne m'en tenaient pas rigueur. Je les rejoignais autour de la table. Ils me demandaient si j'avais rencontré une belle jeune fille. Ils étaient déçus d'apprendre que je revenais d'un long débat entre enseignants. L'Etranger avouait ne rien comprendre à la politique et aux affaires sociales. L'Historien n'abordait jamais des sujets évoquant le présent. Il parlait politique, seulement dans le passé. Plus c'était loin, et mieux c'était. Mais Raoul approuvait ces jeunes qui se battaient

pour le changement. Il y avait dans son calepin
des noms de braves travailleurs qui avaient, toute
leur vie, livré bataille à la sécheresse et aux épidé-
mies, cherché l'eau dans des localités où ne tombait jamais la moindre goutte de rosée, porté l'eau
à des communautés qui, sans eux, n'auraient fait
qu'avaler leur salive jusqu'à sécher de l'intérieur,
jusqu'à ce que chaque corps épuise sa réserve et
s'effrite comme un fossile. Tous étaient morts, et
ils n'avaient accumulé que des brimades et des
transferts, des lettres de blâme pour excès de zèle.
Certains d'entre eux avaient même fait de la prison,
parce que tout fonctionnaire honnête ne pouvait
être en ces temps-là qu'un agent de l'opposition.
Ils étaient partis, sans rien, ni frais de départ ni
fonds de pension. Et leurs veuves ne possédaient
pour les garder présents que de vieilles photos, de
pauvres clichés en noir et blanc qui prennent des
rides avec les ans sans guérir les veuves, les maîtresses et les concubines de la maladie du souvenir. Quand on aime un homme toute sa vie, ce
n'est jamais facile de le laisser partir. Ouais ! Cela
valait la peine de se battre pour le changement.
Les pauvres, ils deviendraient moins pauvres et ils
pourraient vivre plus longtemps. Et lorsqu'ils par-
tiraient, leurs veuves pourraient les regarder sur
de belles photos, voire des films, et leurs petits-
enfants prolongeraient leur légende en racontant
à leurs copains : Mon grand-père, il avait des bras
gros comme ça, comme un arbre, si tu veux savoir,
il pouvait courber un tuyau, enfoncer un clou dans
un mur en le pressant avec son pouce, je l'ai vu
le faire dans un film, mais grand-mère dit qu'à la
maison il était doux comme un agneau. Raoul
devenait nerveux quand on abordait ces questions.
L'Etranger revenait à la conclusion que Raoul avait
été scout ou communiste, que ce vice lui était resté,

et que c'était aussi dangereux de vouloir penser pour un groupe que de ne jamais penser qu'à soi. L'Etranger se méfiait des politiques. Il divisait les êtres humains en deux catégories : les réactifs et les inébranlables. Les réactifs étaient des faiseurs de miracles qui revenaient sur leurs promesses, des champions des bonnes intentions qui devenaient au fil des ans tout propres, tout tristes, tout petits à force de se plier à la réalité. Les inébranlables étaient aussi à craindre. Ils demeuraient aveugles à toutes les prières. Arrivé dans une ville située au bout du monde (comme le monde n'a pas de centre, aucune ville n'est au bout du monde), arrivé dans une ville située au cœur du monde, il avait demandé aux habitants pourquoi ils avaient construit leur ville si loin. Les habitants lui avaient répondu que c'était lui qui venait de loin, et qu'ils avaient choisi cet emplacement pour fuir un couple d'inébranlables aveuglé par ses certitudes. La femme était belle, le couple riche. C'était dans l'ancienne ville la femme la plus belle et le couple le plus riche. Ils n'adressaient jamais la parole à leurs voisins, et quand un homme, un poète ou un jardinier, un homme quelconque avec ni plus ni moins qu'un cœur d'homme et des paroles d'homme, s'adressait de loin à la femme, alors qu'il la voyait assise à sa fenêtre, dans un parler simple et direct, parce que les gens de cette ville sont des gens simples et directs, elle prenait peur et courait se blottir dans les bras de son époux. Les habitants du quartier les avaient maintes fois invités à leurs fêtes, à la veillée d'un mort, parce que dans cette ville on accompagne les morts avec de la musique et des histoires pour rire, à une partie de boules ou de cartes, au baptême d'un enfant, à l'inauguration d'une piste de danse, à l'une de ces fêtes humaines, naïves, sans prétention, où les gens se rencontrent et passent de bons moments pour devenir par la suite, lorsque les cœurs sont compatibles, de bons amis, de vieux amants. Ils leur avaient aussi apporté des cadeaux, un mouchoir, une gerbe, des objets qui tenaient leur valeur d'un souvenir d'enfance ou de l'effort consenti sur ses économies. C'était un couple dur comme quatre poings fermés qui ne déviait jamais de son code de conduite, une paire d'inébranlables qui pouvait se passer de miroirs extérieurs. Ils avaient décliné toutes les invitations. Les cadeaux pourrissaient devant la porte d'entrée. Ils étaient convaincus de leur autosuffisance, se protégeant l'un l'autre contre les nouvelles rencontres. L'homme n'aurait pas supporté que la femme abandonnât sa main à quelqu'un d'autre. Et la femme était fière de ce regard unique qui l'enveloppait, comme dans un cercle. Un jour, de guerre lasse, les habitants du quartier cessèrent de les inviter. Aucun homme ne regarda plus la femme. Aucune femme n'adressa un sourire à l'époux. Personne ne laissa plus de mouchoir ni de gerbe devant la porte de leur maison. Les gens du voisinage fermèrent leurs portails, leurs cœurs, leurs fenêtres et, après délibération, sans avertir le couple, ils prirent leurs affaires et leur besoin de rencontre et s'en allèrent construire la ville ailleurs. Cela veut dire ici. Par curiosité, les enfants étaient retournés voir les ruines de l'ancienne ville. Les adultes aussi y revenaient pour récupérer du bois, des briques, des plantules, des matériaux pour embellir la nouvelle ville. Au bout de quelques années l'ancienne ville avait quasiment disparu. Le couple y vivait seul. Seule sa maison tenait debout. Se croyant toujours entouré de menaces, il continuait de se barricader. La femme n'avait rien perdu de sa beauté. Mais c'était une beauté éteinte, comme lorsque les enfants emprisonnent dans leurs mains la lumière des lucioles. L'homme était taciturne. Ils ne se parlaient qu'à eux-mêmes. Au fil de leurs conversations, ils avaient inventé un Dieu auquel ils aimaient faire appel pour renforcer leurs convictions. Un jour, pour braver le danger, ils décidèrent de sortir. Les enfants s'étaient cachés. Bras dessus bras dessous, les inébranlables traversèrent la ville vide puis rentrèrent chez eux. Ils avaient vu les rues désertes, les maisons délabrées, la mauvaise herbe là où autrefois fleurissaient des jardins. Ils constatèrent qu'ils n'auraient désormais, qu'ils n'avaient plus depuis longtemps qu'un seul ennemi contre lequel se battre : la solitude. Depuis ce jour l'homme s'endort tôt, la femme s'assied, nue, le soir à sa fenêtre, mais il ne passe dans la rue ni poète ni jardinier.

J'ai passé la nuit à écrire. Je voulais relire le texte de mon intervention, le peaufiner. Mais les vieux se sont imposés à moi. Ton visage aussi s'est imposé à moi. J'ai trouvé moins bête d'écrire leur légende à ton seul profit que de réviser ma copie sur ma venue au métier d'écrivain. Je connais le numéro de ta chambre. Je sais aussi que tu appartiens à un club de lecteurs. Mais je n'ose toujours pas t'adresser la parole. Il me reste trois jours pour décider. Dans quatre jours, tous les participants auront vidé leur chambre. Un autre colloque, d'autres bavards aussi farfelus que nous ou des savants trop respectables travaillant sur des sujets très sérieux qui commencent par des chiffres et finissent par des bombes occuperont la salle de réunion. D'autres visages. D'autres badges. Personne n'habite ici. C'est un lieu de passage. Des hommes d'affaires y ont sans doute leurs habitudes, mais ce n'est pas une demeure. Il y avait des chambres d'hôtel dans les souvenirs de l'Etranger. En particulier cet immeuble qui accueillait les voyageurs de passage, mais dans lequel des personnes avaient élu domicile depuis des années. L'immeuble était divisé en deux. La partie hôtel portait le nom d'un animal marin, mais la mer était loin. L'Etranger pouvait sentir la mer à des kilomètres, les vagues l'appelaient, comme un aimant.

Il ne prenait qu'une odeur de terre et de constructions en hauteur, une odeur de bâti qui s'étendait à l'infini. La mer était loin. L'autre moitié de l'immeuble ne portait pas de nom. Des solitaires y habitaient chacun son studio. Ils avaient accès au bar et au restaurant de l'hôtel. C'était un lieu étrange qui pouvait réunir ceux qui ne vont nulle part et ceux qui bougent tout le temps. Les uns buvaient un coup, dormaient le temps d'un rêve, et reprenaient leur route. Les autres pouvaient y vivre. Y mourir aussi. S'il faut croire l'Etranger, on pouvait même y passer sa vie à mourir. Au bar, l'Etranger avait pris une table. Il buvait sa menthe. Pour la fraîcheur. Un homme était venu s'asseoir en face de lui. Non, un homme s'était laissé tomber sur la chaise en face de lui. Comme une masse. Une chair morte. Un corps flasque, comme un vieux fruit pourri. Avec, sur son visage, une ancienne trace de sourire. Il existe des hommes comme ça, dont le visage, avant de tourner tout à fait au masque, garde le souvenir d'une cause perdue. L'Etranger avait vu des visages ayant fait le tour de leur manque à gagner et qui ne savaient plus se vendre, se tenir. Des visages de blessures ouvertes ayant épuisé au bout de tristes itinéraires toutes les techniques de l'acteur de composition, tous les procédés de l'art du faire semblant. L'homme s'était laissé tomber sur la chaise et l'Etranger lui avait offert un verre. Comme on fait dans ces cas-là. Quand on ne peut déterminer si l'on a affaire à un mort ou à un vivant. Quand on essaie de gagner du temps avant de fuir ou de comprendre. L'homme avait une tête plus triste encore que celle de l'Historien. Il buvait et fixait l'Etranger, la bouche grande ouverte sur un début de confidences puis se refermant sur elle-même. Une bouche de personne en danger, en mal d'alternative, ouverte et fermée, comme sont les bouches d'homme quand elles n'arrivent pas à choisir entre la parole et le silence. Cet homme-là, l'Etranger avait là-dessus autant de certitudes que sur l'éloignement de la mer, venait de faire connaissance avec le désespoir. Après le premier verre, qu'ils avaient bu en silence, entre inconnus, l'homme avait ouvert la paume de sa main gauche sur sa ligne de chance, faisant le geste de la trancher avec les doigts de sa main droite. L'Etranger avait imité son geste. C'était un mot de passe, une sorte de signe de connivence entre deux personnes qui, au propre comme au figuré, ont piétiné tous les usages et hanté tous les territoires, marché dans les sens interdits du monde. L'homme avait commandé un autre verre, et il avait choisi le bon côté de l'alternative. Il est toujours bon de parler. Des parleurs, l'Etranger en avait rencontré un grand nombre. Qui parlaient tout seuls. A une statue ou à une image, comme les bêtes blessées qui mangent dans n'importe quelles mains. A leur ombre, à un poteau, à une corde ou à un fond de mer. Mais la mer était loin. Et l'homme parlait à l'Etranger. Il y avait une femme dans l'immeuble d'à côté. Au cinquième étage. L'homme était amoureux d'elle. Cela faisait des années qu'ils habitaient le même immeuble, qu'il l'aimait et n'était plus capable de faire autre chose que l'aimer. Elle avait tout remplacé, tout défait, tout refait dans sa vie. Quand il sortait, c'était toujours vers elle qu'il allait. Le matin, le soir, tous les jours de sa vie, quand il allait acheter son pain, payer ses impôts, assister aux matchs entre l'équipe locale et les équipes visiteuses, se dégourdir les jambes en prenant les boulevards pour une plage après une longue journée passée derrière son bureau à compter des liasses de billets, il ne marchait que vers elle.

Souvent il lui arrivait de rester chez lui, dans son appartement du rez-de-chaussée. Ces heures de solitude et d'immobilité étaient les moments les plus forts de sa marche vers elle. Il ne connaissait depuis longtemps qu'un espace habitable : une chambre au cinquième étage. Les gens continuaient de croire aux apparences. Il se rendait au bureau, faisait bien son travail de comptable, maintenait ses habitudes, répondait sans faillir à ses obligations. Son apparence n'avait pas changé. Sa routine. Mais le cœur ne bat pas à ces rythmes extérieurs de la vie quotidienne. Quand il rêvait, c'est d'elle qu'il rêvait. Quand il imaginait, il l'imaginait, elle, et toutes les choses vivantes prenaient naissance, élan, vitalité, dans sa présence rêvée. Il vivait pour le jour où il pourrait laisser sa chambre du rez-de-chaussée et monter jusqu'à elle. Pas tous les soirs. Seulement quand elle le voudrait. Du cinquième, on voit mieux le ciel. Ils regarderaient ensemble des choses merveilleuses. Même si on ne voit pas la mer, parce qu'elle est loin, ni les étoiles, parce que dans cette ville les étoiles ne restent pas longtemps, il y a toujours des choses à voir dans le ciel et sur l'horizon. Les détracteurs de la ville insistaient : c'est une ville sans aquarelles, on ne voit jamais que les nuages. Ils regarderaient donc les nuages. Il y avait entre eux quatre étages, et l'homme se disait que le monde était mal fait. Certains soirs, il aurait préféré habiter le cinquième. On ne se jette pas du rez-de-chaussée. De là-haut, la chute serait définitive. Sans appel. D'autres soirs, quand il gardait espoir, il se disait que c'était bien ainsi, que c'était à lui de monter vers elle. La femme et l'homme se connaissaient depuis longtemps. Ils avaient souvent discuté dans le hall de l'immeuble, plus rarement dans le bar. Cela faisait des années qu'ils parlaient de tout et de rien. Ce soir-là, comme tous les soirs, l'homme avait espéré qu'à la fin de la conversation elle lui dirait de monter. Ils avaient encore parlé de tout et de rien dans le hall. La conversation s'éternisait. Tout et rien, ça fait beaucoup de choses sans importance grignotant sur le temps qui reste aux mots d'amour. La femme tombait de sommeil. L'homme avait enfin osé lui demander de l'inviter, lui avouer que, chaque matin, il se réveillait dans l'idée que, le soir venu, elle lui permettrait de monter. Il avait sorti les mots qu'il cachait depuis des années. La mer était loin, mais on peut l'inventer, et l'homme s'était jeté. La femme avait de plus en plus sommeil. Elle écoutait vaguement, n'écoutait plus, dormait en temps réel, laissait l'homme nager seul dans sa mer décalée – chacun son septième ciel et son cinquième étage – et, au moment où l'homme lui disait qu'il y allait de sa vie à lui, elle s'était excusée. La femme dormait à présent dans sa chambre, et l'homme était descendu au bar. Pour éviter sa chambre à lui. En attendant de trouver un autre logement. N'importe où. Loin. Très loin. Le lieu importait peu. Quand on est mort, qu'est-ce qu'on en a à foutre de la dimension de la tombe, de la salubrité du quartier qu'on habite ! L'essentiel est d'être loin de la vie, loin de ce qui symbolise la vie. Pour faire son respect de mort, ne pas déranger le sommeil de celle qu'on aime, à voir la mer où elle n'est pas, à l'attendre au pied des marches avec dans les yeux des vagues de tristesse. Quand on est mort, peu importe le coin, le lit, la niche, la venelle, l'impasse, le trou où l'on se couche dans sa merde. Quand on est mort, on se cache, que personne ne voie un chien qui baigne dans son caca... Quand on est mort... L'Etranger avait laissé l'homme à sa tristesse, sans lui demander de l'attendre. Il était monté au cinquième, et il avait frappé à la porte de la femme. Elle était étonnée d'entendre frapper à une heure si tardive. Qui était-ce ? Que lui voulait-on ? L'Etranger avait répondu que ce n'était qu'un passant qui était venu lui dire qu'il y avait en bas, au bar, un homme en train de mourir. La femme n'appréciait pas la blague, il y avait chaque nuit dans tous les bars du monde des hommes en train de mourir. L'Etranger avait insisté. Ce n'était pas n'importe quel homme, c'était l'homme avec lequel elle parlait de tout et de rien depuis des années, celui qui habitait au rez-de-chaussée et qui voyait la mer entrer avec elle dans le hall, et le ciel au cinquième étage parce qu'elle y habitait. La femme avait répliqué que cet homme-là était son ami, un gentilhomme, et que jamais il n'aurait envoyé un messager la réveiller à pareille heure pour lui parler de choses qui n'existaient pas. L'Etranger avait expliqué qu'il n'était pas un messager, juste un passant, et que c'était vrai, l'homme était en train de mourir parce qu'il se nourrissait de sa propre substance, et l'énergie interne, à la fin, ça s'épuise. Au fait, il était en train de mourir depuis des années sans oser vous le dire. Moi, pourquoi moi ? Et L'Etranger, fâché d'une telle cécité, avait demandé à la femme comment, durant toutes ces années, elle avait pu marcher droit à côté de l'évidence sans prendre le temps de s'arrêter, de regarder, d'entendre. Et la femme, dans son demi-sommeil, s'était souvenue que, maintes fois, en montant l'escalier elle avait eu la vague impression d'un regard triste dans son dos, que lorsqu'ils étaient ensemble à parler de tout et de rien l'homme se cachait les mains comme pour ne pas les tendre. Et la femme, enfin réveillée, avait réalisé qu'elle n'avait guère prêté attention aux paroles de l'homme. Elle travaillait beaucoup et tombait de sommeil, et une partie de la conversation lui avait sans doute échappé. L'Etranger, convaincant, lui avait fait comprendre que, pour l'homme, c'était la partie la plus importante, celle où il lui laissait la mer devant sa porte. Mais la femme, réticente, s'était bien défendue, fuyait la métaphore, elle était amoureuse d'un autre homme qui comblait ses besoins. Et l'Etranger lui avait promis, parole de voyageur, que l'homme qui comblait ses besoins ne mourrait pas si elle sauvait la vie à l'homme qui mourait en bas. Ce qu'on donne ne tue pas, c'est ce qu'on refuse qui tue. Et la femme avait dit : Attendez. J'arrive. L'Etranger n'avait pas attendu. Il était redescendu au bar, dans l'autre moitié de l'immeuble. L'homme s'était assoupi. L'Etranger s'était installé au comptoir pour prendre une autre menthe. Au moment où il payait la note, la femme était arrivée. L'Etranger était sûr que la robe qu'elle portait était sa plus belle robe. Elle était allée s'asseoir à la table de l'homme, elle avait pris son visage dans ses mains et elle lui parlait tendrement. L'Etranger ne connaissait pas la suite de l'histoire. Ou la gardait pour lui. Il nous laissait souvent le loisir de conclure, d'inventer la maxime qui convenait à la fable.

Le jour se lève. Il y en a qui prennent déjà leur petit-déjeuner. Dans quelques heures, retour au cirque. Quelle robe porteras-tu aujourd'hui ? Peut-être viens-tu ici en prospection d'auteurs à inviter. Peut-être travailles-tu autant que cette femme que l'Etranger avait réveillée. Je t'ai vue prendre des notes. Il me plairait de les lire. Savoir quelles pensées tes mains ont jugé utile ou agréable de fixer sur tes feuillets. Peut-être serai-je sur ta liste. Tu voudras qu'on parle des membres de ton club, de leur zone d'intérêt, de la théorie de la réception et d'autres sujets de ce type. A la vérité, je me fous de ce que tu peux penser des livres que j'ai publiés. Je ne les ai pas écrits pour toi. Je les ai écrits pour des inconnus dont l'opinion n'a de conséquence que sur des choses secondaires comme les droits d'auteur et la réputation. C'est la première fois que j'écris pour la femme du cinquième étage. Et, dans le petit matin, sans me sentir idiot, je veux bien croire, maintenant que tu existes, que derrière les rideaux pourrait se cacher une mer.

Certains soirs, l'Etranger nous conduisait très loin. Le monde en devenait un vaste lieu aux repères trop variables pour être visualisés. Et Raoul, pragmatique, ne pouvait s'empêcher de rappeler que, des femmes qui chantent l'amour et des hommes qui habitent le désespoir, il y en a toujours eu partout. La vie, la mort, c'est pareil partout. Seuls changent les paysages. Mais quand Raoul disait ces choses rationnelles, l'Etranger était déjà parti dans un autre voyage. Il nous décrivait rarement des paysages, sauf à dire qu'ici bientôt on ne trouverait même plus un arbre pour se pendre ou tailler un cercueil.

"Je n'ai de villes que de visages." C'est une phrase d'un poète que j'ai vaguement connu. L'Etranger était un peu comme ça. La couleur du blé, la force de l'orage, la douceur du climat ne retenaient son attention qu'à condition de renvoyer à des personnes. On confond si souvent promeneurs et naturalistes. Trois fois l'Etranger avait fait le tour de la terre. Pas n'importe laquelle. La seule qui vaille. Celle qui vaut le voyage, dans la nature comme dans les livres. Celle des hommes.

Telles étaient nos soirées. Le jour, après avoir donné mes cours, je rejoignais mes collègues au local du syndicat. Nous discutions des problèmes de l'enseignement. Les discussions duraient longtemps. Nous parlions rarement du présent, toujours de l'avenir. L'avenir était pour nous comme une marque déposée dont le monde, un beau jour, découvrirait le charme. Le soir, je retrouvais mes vieux. L'Etranger nous emmenait dans son tour du monde. C'était une course contre la fatigue. Chaque soir, elle arrivait un peu plus tôt. L'Etranger s'endormait subitement au milieu d'un voyage. Parfois au tout début, en prenant le bateau. Nous ne le réveillions pas tout de suite. Nous restions un moment, sans parler ou à parler de n'importe quoi. Je lui donnais une tape sur l'épaule. Ses yeux s'ouvraient à peine. Il lâchait son cri de guerre : "Saleté, va." J'étais le seul autorisé à l'aider à marcher. Je le soutenais jusqu'à la porte de sa chambre. Je le laissais là et retrouvais la mienne. Il attendait le bruit de la machine à écrire pour allumer. L'Etranger dormait avec sa lampe allumée. Je ne comprenais pas ce besoin de lumière. Moi, j'étais dans le noir de mes papiers. J'écrivais à l'époque de très mauvais poèmes. Sur les révolutions à venir. Sur la pauvreté de l'amour. Son absence. C'était, je ne m'en repens pas, des métaphores de la rage. Mais la rage est un sentiment difficile à exprimer. Il faut beaucoup de talent pour cracher un poème. La rage, je l'avais. L'absence, je la sentais. Je manquais de talent. Quand j'y pense, il y avait plus de poésie dans les yeux de l'Etranger que dans mes papiers. Je croyais que les pays, les femmes, tout le réel, il faut les prendre dans ses bras. Lui savait que, la vie, on la prend par les yeux. "Tout est dans les yeux." J'ai retenu son enseignement. Voilà pourquoi je te regarde sans oser encore te parler. Voilà pourquoi, durant la pause-café, je n'ai pas interrompu ta conversation avec le professeur très sûr de lui. Voilà pourquoi je manque d'assurance et réponds distraitement aux questions du modérateur. Je voudrais dire cette chose simple, m'adressant secrètement à toi, mais l'assistance ne verrait peut-être dans mes mots que le manteau de l'Etranger et m'accuscrait de gâtisme ou de pédanterie : j'espère qu'il n'est pas trop tard pour que j'apprenne à regarder.

Un jour l'Historien a décidé que l'Etranger avait assez attendu. Il a appelé le secrétariat du directeur du service de l'immigration pour prendre rendez-vous. La secrétaire avait d'abord répondu que monsieur le directeur était absent, puis que monsieur le directeur était présent mais en réunion avec les cadres supérieurs du service, puis qu'elle allait essayer mais ne promettait rien. Quel était le nom du monsieur ? Robert Ambroise. Et quel était le titre du monsieur ? Robert Ambroise. Très bien. Le monsieur voulait-il patienter ? Au bout d'une minute, monsieur le professeur pouvait venir quand il voulait, le lendemain, voire le jour même, le directeur avait passé des instructions formelles aux agents de sécurité pour qu'ils ne le fissent pas attendre. Monsieur le professeur passerait donc le jour même. Merci, mademoiselle. Madame ou mademoiselle ? Mademoiselle. Mademoiselle, je le savais, une voix jeune et forte. Déjà un fiancé ? Non, monsieur, pas encore, les hommes sont si pressés. Impatients. Oui, monsieur, impatients. Ne précipitez rien, soignez votre jeunesse. Merci de vos conseils, monsieur le professeur. Mille mercis, mademoiselle. A tout de suite, mademoiselle.

L'Historien parlait comme un homme de pouvoir. Il fallait une situation exceptionnelle pour l'amener à revisiter ce monde de chefferies et de baisemains qu'il avait fui pour s'isoler dans la pension avec ses livres et ses bouteilles. Ce matin-là, pour une bonne cause, il avait retrouvé sa voix d'autrefois, ses manières d'homme du monde. Il avait sorti son costume bleu-gris, et lui qui ne chaussait plus que des pantoufles avait astiqué lui-même ses chaussures de cérémonie, refusant d'accorder sa confiance au savoir-faire d'un cireur de bottes. Ton sur ton, souliers propres et cravate assortie, l'Historien marchait comme un prince. Raoul s'était chargé de nous commander un taxi. Le chauffeur était impressionné par la prestance de l'Historien. Dans le taxi, nous avons mis en place la stratégie. Chacun son rôle : l'Historien obtiendrait sans difficulté l'ordre d'émission du passeport. Je devais m'assurer du suivi auprès des subalternes. Raoul ferait le guet. Nous ne voulions pas que l'Etranger nous voie. Il ne nous avait rien demandé et se vexerait de notre démarche. Raoul devait avoir conclu une entente avec le chauffeur, une sorte d'abonnement. A notre descente, il n'a rien donné au chauffeur. Il est allé se poster dans la rue, à l'entrée du bureau, pour guetter l'arrivée de l'Etranger. L'Historien a identifié l'agent de sécurité qui avait une tête de chef. Il est allé vers lui, et il lui a dit qu'il avait rendez-vous, que le directeur l'attendait, que tous les deux étaient des hommes très occupés qui n'avaient pas de temps à perdre. L'agent de sécurité s'est adressé à la réceptionniste qui a appelé la secrétaire. La réceptionniste a indiqué à l'agent qu'il fallait accompagner le monsieur au bureau du directeur. L'agent ne voulait pas me laisser passer, m'identifiant au petit groupe de citoyens vigilants et rusés qui s'étaient placés derrière nous, pour profiter de l'influence de ce personnage important. Seul ce jeune homme est avec moi. Personne d'autre ? Personne d'autre. Reculez.

La queue n'avançait pas. En la franchissant sous la protection de l'agent de sécurité, nous entendions les commentaires, les reproches et les plaintes. Certains attendaient depuis des mois, ils avaient pourtant payé pour le service d'urgence. D'autres avaient apporté les originaux de leurs extraits de baptême et de leur acte de naissance, en double exemplaire, conformément aux exigences de l'administration, mais la section d'enregistrement des pièces manquait de personnel et n'acceptait les dépôts qu'aux premières heures ouvrables. Vers midi, les employés étaient déjà trop fatigués pour relever les informations sans erreurs de datation ni fautes d'orthographe. A l'étage supérieur, les choses se passaient très vite. Encore sous le charme de sa conversation au téléphone avec l'Historien, la secrétaire était impressionnée par le monsieur distingué en costume bleu-gris. Son regard laissait transparaître ses pensées : des comme ça, on n'en fait plus, si seulement un homme comme ça pouvait avoir vingt ans de moins. L'élégance. Le savoir. Le maintien. Elle ne pouvait pas savoir que c'était un vieux séducteur à la retraite qui portait son costume des beaux jours comme un costume d'occasion pour rendre service à un ami. Elle voyait l'Historien comme il aurait dû être, comme il aurait été si quelque chose n'était venu le dévier de son parcours socionaturel. L'Historien me présenta au directeur, son ancien compagnon de faculté, comme un jeune ami venant de débuter dans l'enseignement secondaire. "Avant de passer à autre chose." Le directeur saluait le mérite de l'enseignement. "Toujours un bon début, mais en effet un jeune qui a de l'ambition, au bout de quelques années, doit vite passer à autre chose." Le jeune ami de l'Historien était aussi poète. "Un autre bon début. Il est toujours bon d'avoir quelques vers derrière soi." Le directeur avait aussi quelques poèmes de son cru. "La poésie est pour l'homme du monde un merveilleux péché de jeunesse. Avant de passer à autre chose." Justement, l'Historien voulait bien passer à autre chose. "Malheureusement, l'Office de l'immigration ne recrutait pas présentement, mais on pourrait envisager quelque chose pour votre jeune ami... La vie est faite d'exceptions." L'Historien rectifiait. Le jeune ami n'était pas demandeur. Nous sommes venus pour un passeport. Et l'Historien exposa la situation de l'Etranger. Un homme qui avait voyagé. Un nouveau passeport ou un renouvellement. Une intervention pour accélérer le processus. Cela pouvait être fait en vingt-quatre heures. "Contrairement à ce que l'on écrit dans la presse, nos services sont très efficaces malgré le manque de personnel. Le nom, et si votre ami a déjà fait le dépôt de ses pièces, le passeport sera prêt demain aux premières heures. Si le dépôt n'est pas fait, qu'il vienne me voir demain, vingt-quatre heures plus tard il pourra partir où il veut. Le nom ?" Nous n'avions pas de nom. L'Etranger était l'Etranger. Aucun de nous, à la pension, n'avait jamais songé à l'appeler autrement. Et ce n'était pas un homme qu'on pouvait prendre au piège de l'amitié pour le faire parler de son père. C'était un enfant du voyage. Nous n'avions pas de nom. Mais l'Historien, superbe, ne perdait pas contenance. Il s'agissait pour lui de faire une bonne action. Il se sentait poussé par une énergie supérieure à venir en aide à un congénère en difficulté, un brave homme un peu désaxé, une de ces vieilles connaissances que l'on fréquente depuis toujours sans connaître leur patronyme. Et surtout, je ne veux pas qu'il sache que j'ai plaidé sa cause, les gens ont leur fierté... Le directeur comprenait.

Il lui arrivait souvent d'aider, dans la plus grande discrétion, des jeunes, des vieux, toutes sortes de gens… "Mais, sans un nom, que pouvons-nous faire ?" J'ai alors pensé au manteau. Tout le monde, des enfants aux vieillards, y compris les religieux et les militaires dont, somme toute, les habits ne sont pas moins inquiétants, s'arrêtait et se retournait au passage de l'Etranger. Les employés avaient forcément remarqué le manteau. "Un manteau ? Ce vieil ami… enfin… cette vieille connaissance… quel original ! Mais à chacun ses fantaisies, n'est-ce pas ? Des intellectuels comme vous et moi…" Le directeur appréciait l'esprit vif de la jeunesse et passait ordre à la secrétaire de convoquer dans mon bureau en toute urgence le chef de la sécurité et le chef du service d'accueil. Les deux étaient formels, serviles mais formels. Ils n'avaient jamais vu un homme grand, courbé, dans la soixantaine, portant un manteau. Certainement, un tel homme, ils l'auraient remarqué. Il y avait une folle en haillons qui venait tous les lundis, mais pas d'homme grand, courbé, dans la soixantaine, portant un manteau. Ni hier, ni la semaine dernière, ni le mois dernier, ni même sur les cinq dernières années, ni aussi loin qu'ils pouvaient remonter dans leur mémoire.

Raoul nous attendait dans le taxi. L'Historien pestait. Des intellectuels comme nous… La poésie est un bon début, mais un homme ambitieux passe vite à autre chose… A la fac, on se mettait à quatre pour lui rédiger ses papiers… Mais, tous les trois, nous pensions à l'Etranger. Raoul avait guetté en vain et le chauffeur de taxi avait interrogé les crieurs de loterie et les propriétaires des petits commerces de la rue. L'Etranger n'était pas venu. Aujourd'hui. Hier. Jamais.

A la pension, ce fut un triste après-midi. L'Historien avait chaussé ses pantoufles et retrouvé ses vêtements ordinaires, une chemisette un peu usée et un short qui datait de l'époque où il était le capitaine de l'équipe de volley-ball de sa faculté. Il avait repris son livre et sa bouteille. La cour sans l'Etranger n'offrait aucun voyage. Le premier, l'Historien avait regagné sa chambre. Raoul avait soudain quelqu'un à qui il avait promis une visite depuis longtemps. Un taxi l'attendait, comme par miracle. Il était revenu une heure plus tard et s'était lui aussi enfermé dans sa chambre. La visite avait été brève. Je suis resté seul dans la cour. Puis, par routine, j'ai essayé d'écrire. Cette mauvaise habitude de vouloir écrire aux heures graves. A minuit, j'ai entendu la clochette, puis les clés, puis la porte qui s'ouvrait et se refermait, encore les clés, puis le cri de guerre "saleté, va", une fois, deux fois, plusieurs fois. Puis, plus rien. Parfois, la chose la plus horrible au monde, c'est le silence.

Raoul était assis au pied du lit. Sa voix était douce : "L'Etranger est parti." Parti ? Où pouvait-il se rendre ? Il n'avait pas de passeport, et sans passeport tu ne peux aller nulle part. La voix insistait : "L'Etranger est parti." Une voix de pédagogue. Douce, mais ferme, sûre de son fait. Parti ? Mais je l'ai entendu rentrer, il y a tout juste quelques heures ! "Il est parti, te dis-je. Il faudra enfoncer la porte." J'ai regardé Raoul. J'ai vu qu'il avait ses yeux du samedi matin, ses yeux de messager des morts. Il n'utilisait jamais le mot, toujours des euphémismes : les absents, les partants. Lorsque meurt un voyageur, n'est-ce pas lui rester fidèle que de dire qu'il est parti ? Comment Raoul pouvait-il savoir ? On ne décide pas soi-même de la mort des autres. On ne dit pas "L'Etranger est parti", comme une mise en demeure, et, lui, comme un idiot, mettrait fin à sa vie, juste pour se faire complice d'un acte de parole. Je détestais Raoul. Raoul savait. Il avait ses entrées chez les morts. Ses sorties aussi. Sa vie était un va-et-vient entre les vivants et les morts. J'avais couru jusqu'à la porte de l'Etranger. Aucune lumière ne passait. Ni blanche, ni bleue. L'Etranger dormait dans le noir. L'Etranger ne dormait jamais dans le noir. Mes coups contre la porte avaient réveillé l'Historien. Il ne possédait ni les muscles pour cogner ni la voix pour crier, mais il faisait les

deux. Il croyait Raoul sur parole. Mais l'Historien
n'avait jamais su contester. Il préférait s'étendre, se
coucher, se vautrer. Subir. Accepter. Si Raoul le
disait, l'Etranger était mort. Raoul avait trouvé la
pelle que nous utilisions pour le ramassage des
feuilles du quenêpier avant de les brûler dans un
tonneau métallique. L'Etranger détestait ce feu sec,
aux flammes chiches, sans envergure. L'Etranger
détestait tout "ici" et surtout l'idée de se faire rattraper par l'heure locale dans cette chambre, dans
cette ville, dans ce pays. L'Etranger était né pour
mourir ailleurs. Et puis, un explorateur ne meurt
qu'après avoir tiré la leçon de ses voyages, après
avoir tout dit du monde et de sa vastitude, des
mœurs des mille et une peuplades qui constituent
l'humanité. Nous n'avions pas eu notre compte de
voyages. Il lui restait à raconter la fin de telle histoire d'amour aux portes d'il ne savait plus quel
désert. Qu'importait quel désert et quelles longi-
tudes, il lui restait à raconter du début à la fin des
tendresses victorieuses, des malheurs imbéciles. Il
lui restait tant de voyages dans les yeux, il lui faudrait des vies pour nous les conter toutes. Celle de
l'époux modèle tant aimé de sa femme qu'elle l'attendait tous les jours sur sa chaise, dans la salle à
manger, après avoir préparé le dîner. Elle attendait
sans bouger, économisant son souffle, ses gestes,
sans se laisser détourner de son attente par les
piqûres des insectes ni les cris des oiseaux. Elle
avait tenu le rôle qu'elle s'était assigné avec ardeur
et dévotion. Saura-t-on jamais ce qui tient du
miracle ou de la malédiction ? Jamais plus, elle ne
se lèverait de sa chaise. Un soir, le mari l'avait
trouvée à sa place habituelle, droite, froide comme
une statue. Il avait voulu l'entraîner dans la chambre, viens, ton homme est rentré, celui auquel tu
as donné ta vie, mais il ne parvenait pas à la bouger.

Il avait appelé ses voisins au secours, mais aucun remède ne put jamais redonner au corps de la femme la souplesse de la chair humaine. La statue porte un nom : on l'appelle *La Femme assise*. Elle constitue à la fois une attraction et un objet de controverse. Aujourd'hui encore, on en discute dans la ville. Elle oppose des pèlerins et des manifestants, et des politiciens soutiennent les deux camps. Ceux qui croient à l'intervention des dieux dans les amours humaines saluent la vertu de la sainte, et ceux qui aiment le vin et les chansons païennes disent que, c'est connu, qui veut faire l'ange fait la bête, et appellent au jugement des hommes pour condamner l'époux à s'asseoir toute sa vie au pied de la statue. Merde, l'Etranger, tu ne peux pas mourir. Raconte-nous une histoire. Tu en avais de belles. Raconte-nous encore une fois celle de ce couple d'amoureux qui ne se retrouvait qu'une fois par an, loin, très loin de leur vie dite quotidienne, dans une région fréquentée par des touristes en mal de sensations fortes, sur une terre insoumise où, la nuit, chassent encore des animaux sauvages. C'était un couple illégitime. Ils avaient épousé, chacun de son côté, une personne très sérieuse préférant ignorer qu'il n'y a qu'un seul amour. Un seul amour, une communauté des amants. Ils se retrouvaient tous les ans, à la même saison, dans une maison qu'ils avaient bâtie de leurs mains. A l'intérieur, ils avaient mis un lit, rien qu'un lit, laissant ainsi beaucoup d'espace pour le rêve et l'inattendu. Il y avait deux serrures à la porte d'entrée. Deux clés. Une pour toi. Une pour moi. Chacun avait gardé sa clé. C'était une porte commune qui ne s'ouvrait qu'à deux. Malgré les crises de nerfs, les menaces de rupture des personnes très sérieuses qu'ils avaient épousées, ils venaient tous les ans. Chacun sortait sa clé, et ils ouvraient la porte. Si un jour l'un des deux manquait au rendez-vous, la porte resterait fermée, et les voyageurs effrayés qui leur demandaient souvent asile coucheraient dehors avec les bêtes.

Non, l'Etranger n'avait pas fini de déballer son gros sac de voyage. Il ne pouvait "partir" ; Raoul avait fait sauter le cadenas, puis, utilisant la pelle comme un levier entre la porte et le chambranle, il nous avait ordonné de pousser de toutes nos forces. Nous avons poussé. Les gonds ont lâché, la porte a cédé et l'Historien, emporté par son élan, est tombé sur une masse molle. Au début, nous n'avons vu que le noir. Après nous avons commencé à repérer les objets. L'Historien s'est relevé en disant que ce n'était rien, il s'était pris les pieds dans le manteau. Raoul avait trouvé l'inter-rupteur, mais la lampe ne s'allumait pas. Je suis passé de l'autre côté du lit, je me suis heurté à la table de chevet qui n'était pas à sa place habi-tuelle, et je l'ai vu. Le corps sur le sol, la main droite ouverte sur le lit. Elle tenait un objet. Une ampoule. La bleue. Je voyais toujours plus d'obs-curité qu'autre chose mais j'étais sûr que c'était la bleue. Il avait voulu mettre du bleu. Pour cela, il lui avait fallu déplacer la table de chevet, grimper sur la table et se hausser sur la pointe des pieds pour que sa main puisse arriver à hauteur du réceptacle incrusté au plafond. Il avait glissé. J'avais l'ampoule dans la main. Je refaisais ses gestes. Raoul attendait pour actionner l'interrupteur. C'était difficile. L'Etranger était plus grand que moi. Sa vision meilleure que la mienne. Je tâtonnais pour trouver l'emplacement. Je sautillais presque. L'His-torien maintenait la table en équilibre. L'effort. Raoul. L'interrupteur. Et soudain, la lumière. Bleue. Debout sur la table, je regardais le monde. Je bai-gnais dans le monde. Je n'avais jamais vu le monde entier réuni en un lieu. Il y avait des mers bleues, suspendues au plafond. Des arbres, des ponts, des sentiers, des grands chemins et des petits chemins, des boulevards, des pistes, des sous-bois, de grandes plaines, les plus hautes montagnes, des anses, des falaises, des jours qui se lèvent et des couchers de soleil, tous les sables, des pluies fines et des pluies battantes, des ciels clairs, toutes les formes que prennent les nuages. Toute la terre en même temps au-dessus de ma tête. Sur les murs, les humains. Des corps et des visages. Des couples s'embrassant sur les places. Des femmes seules. Des familles entières. Une unijambiste jouant de la guitare sèche. Des corps nus. De belles femmes et des femmes moins belles. Tiens. Tamar, la Noire au prénom de juive. A côté d'elle, une femme plus âgée, la regardant d'un œil sévère. Ce devait être sa mère. Un couple en habits de mariés. L'homme, en triomphateur. La femme, très belle, plus belle encore que Tamar, la Noire au prénom de juive. Plus belle que Gwendolyn, couchée à demi nue sur un autre pan de mur. La plus belle des femmes, mais la posture raide, le buste trop droit, le regard mort, comme si elle s'était fait photographier en essayant de marcher sur une corde, comme si elle allait passer sa vie dans la même pose : ne pas tomber, ne pas tomber. J'ai reconnu le couple qui habitait la ville fantôme. Des milliers de corps et de visages. Tous les âges, toutes les races. Des foules. Des solitaires. Une petite fille, seule dans le noir. Une vieille dame promenant son chien. La main tendue d'un sans-logis. Des tribuns. Des cols-bleus. Toutes sortes de gens. Le monde, tel que l'Etranger l'avait fréquenté, reconstruit, déconstruit, aimé, imaginé. Il y avait aussi son corps à lui qui ne bougerait jamais plus. La table branlante sous mes pieds. Raoul, qui me disait qu'il fallait descendre de là et l'aider à coucher le cadavre sur le lit. Et l'Historien qui, sans parler, avait attendu. Qui ne voulait pas nous aider. Et Raoul prenant l'Etranger par les épaules, moi le prenant par les pieds, évitant tous les deux de regarder ses yeux à jamais fermés. Nous l'avons couché sur le dos, face au monde, tous ses ciels miniature collés à son plafond. Puis, l'Historien l'a recouvert de son manteau. Le manteau n'était pas bleu. C'était un tissu raide, rogné par les ans en ses extrémités, couleur sale, sombre, vert-ocre. Mais le bleu tombant du plafond changeait toutes les teintes en les attendrissant. Et l'Etranger dormait sous son manteau bleu-vert quand nous sommes sortis de la chambre en laissant l'ampoule allumée, conformément à ses rêves et à sa volonté.

Le modérateur fait très bien son métier. Mais ce n'est qu'un métier. Il a probablement suivi des cours de littérature, participé à des ateliers d'animation culturelle avec une partie théorique et de nombreux stages pratiques dans les bibliothèques, les lycées et les médias. Les questions qu'il nous pose doivent être pertinentes, puisque mes collègues parviennent à y répondre sans trop de difficulté. Moi, j'ai envie d'avouer, pas à lui, mais à toi, que je n'ai jamais rencontré plus grand conteur que l'Etranger. Que j'ai un peu honte d'avoir pris sur le temps des gens pour traiter de choses futiles, souvent sur un ton prétentieux et grave. L'Etranger avait bricolé l'univers amoureux, avec des magazines, des cartes postales, des photos achetées à l'étal des bouquinistes, des livres d'histoire sainte et des revues pornos. Il avait changé les gens de place, défait des couples, inventé d'autres, modifié des histoires. Il nous copiait-collait des histoires d'amour pour les rendre plus belles et plus intelligentes. Je n'ai jamais rencontré de personnages plus utiles que ceux qui habitaient ses murs. Je n'ai jamais voyagé aussi loin. Dans le monde. Dans l'amour.

L'Historien et moi, nous avons marché dans l'aube jusqu'à la résidence de la propriétaire. De là, nous avons appelé l'entreprise de services funéraires. La propriétaire se lamentait. Un mort, chez elle. Et la réputation de l'établissement ! Elle cherchait dans ses tiroirs. Elle ne trouvait que des carnets de reçus. Il payait à l'année, en dollars canadiens. C'était tout ce qu'elle savait. Finalement, dans un carnet vieux d'un quart de siècle, elle avait trouvé un nom et un numéro de téléphone à Montréal. Retour à la pension. Raoul avait mis son réseau de chauffeurs de taxi en mouvement. On avait souvent vu l'homme au manteau dans un quartier du bas de la ville, du côté de la rue des Remparts. L'ambulance est arrivée, et le chauffeur a expliqué qu'ils ne pouvaient prendre le corps si personne ne signait pour assumer la responsabilité financière. L'Historien allait signer, mais Raoul a dit qu'il passerait dans l'après-midi et réglerait en cash. Nous n'avons pas assisté à la levée du corps. Le chauffeur de taxi de la veille nous a conduits au bureau du téléphone où nous avons fait la queue pour avoir une ligne internationale. Nous avions un nom, sans savoir à qui il appartenait. Ricardo Mazarin. L'Historien avait appelé. A Montréal, l'homme n'entendait pas bien. Ricardo Mazarin ? Plus fort. Ricardo Mazarin ? L'homme s'acharnait à ne pas entendre. De guerre lasse, l'Historien me passa le téléphone.

— Ricardo Mazarin ?

— Non, je ne suis pas Ricardo Mazarin. Qui êtes-vous ?

— Eh bien, pouvez-vous me dire qui est Ricardo Mazarin ?

— C'est mon frère. Qu'est-ce qu'il a ? Qu'est-ce qu'il me veut ? Je lui avais bien dit de ne jamais plus m'appeler.

— Pourquoi ?

— Mais en quoi est-ce que cela vous regarde ? Qui êtes-vous ?

— Nous sommes des amis de l'Etr…, excusez-moi, de Ricardo Mazarin, si nous parlons bien de la même personne. Votre frère portait-il un manteau ?

— Mon manteau.

— Ah !

— Il me l'avait volé la dernière fois que je suis venu au pays. Pour me punir d'être resté à l'étranger si longtemps.

— Ah, il s'appelait donc Ricardo Mazarin.

— Mais, tonnerre, qui êtes-vous, et que me voulez-vous ?

— Il est mort.

— Bien fait pour lui. J'avais tout préparé pour qu'il vienne. Toutes les attestations… Il n'a jamais voulu. Il est mort de quoi ?

— Il est tombé.

— Tombé ?

— Il est tombé d'une table.

— C'est une blague ? Ou vous êtes aussi fou que lui ?

— Merde, il n'était pas fou.

— Pas fou, hein ? Cet imbécile n'a jamais voulu se procurer même un passeport. Je lui avais dit qu'il fallait vite partir de ce pays de merde. Il a préféré y traîner jusqu'à ce que la mort vienne le chercher. "Tout est dans les yeux. A quoi bon partir !" Il ne vous a jamais dit ça, à vous ? "Tout est dans les yeux." Je lui paie son loyer, ça s'arrête là. Je lui avais demandé de ne jamais plus m'appeler. Il est mort, c'est fini. Ne m'appelez plus.

— Vous viendrez pour les funérailles ?

— Je ne mettrai jamais plus les pieds dans ce pays.

— Vous paierez pour les funérailles ?

— Non, il y a vingt-cinq ans que je paie pour les funérailles.

Raoul avait sa théorie sur le mensonge. Etait vrai ce qui servait une cause. Nous n'avons pas cherché à comprendre quelle était la vérité de l'Etranger, quel était le mensonge. Nous ne l'avons pas enterré sous le nom banal de Ricardo Mazarin. Nous ne l'avons pas enterré au grand cimetière du bas de la ville où des années plus tard la veuve de l'Historien enferma sa dépouille. Raoul avait trouvé un cimetière de banlieue, avec des tombes hautes en couleur. Un petit cimetière fantaisiste, non répertorié sur la carte. Nous avons enterré L'ÉTRANGER, avec son nom en majuscules sur la pierre tombale, au cimetière du Bois Carradeux, un samedi d'il y a longtemps. L'Historien portait son costume bleugris. Raoul avait inscrit le jour, l'heure, l'emplacement, tous les détails, dans son calepin. Je me répétais la phrase : "Tout est dans les yeux."

Qui je suis ? Où vais-je ? Qu'ai-je été ? Ce que j'ai vu. Ce que je vois. Aujourd'hui, je te vois. Et j'ai envie de retourner au modérateur la vanité de ses questions. Qu'ai-je à raconter sinon ce que je vois ? Peut-être oserai-je, malgré ma peur, t'adresser la parole. Ricardo Mazarin qui n'a jamais voulu quitter son pays est mort. L'Etranger qui revenait toujours d'ailleurs. Il fut les deux, sans ressentir le besoin de confier à quiconque qui il était vraiment. Moi, j'aimerais bien te dire quel pourrait être en moi le personnage principal. Celui que j'ai fui longtemps et que tu réveilles aujourd'hui.

Aimes-tu les cerfs-volants ? Après le dernier coup de pelle, nous nous sommes assis tous les trois sur le muret qui clôture le cimetière. Nous avons acheté un cerf-volant à un enfant, et Raoul, le plus habile de nous trois, l'a fait voler très haut dans le ciel avant de lâcher le fil. Le ciel, la pesanteur, les voyous qui nous enviaient de posséder un tel objet ont fait le reste. Le cerf-volant donnait de la queue, de la tête, grondait, filait, disparaissait. Nous sommes partis. L'Historien nous a invités à prendre un verre avec lui dans n'importe quel bar, en ajoutant que ça ne ferait pas de Raoul et moi des alcooliques si nous buvions un verre, mais juste des hommes tristes qui viennent de perdre un ami.

L'HISTORIEN

Ne cherchez plus mon cœur, les bêtes l'ont mangé

BAUDELAIRE

Je ne suis jamais retourné au cimetière du Bois Carradeux. Le nom demeure, mais il n'y a plus de bois. Le cimetière a quasiment disparu et l'on n'y enterre plus personne. Des maisons ont poussé, très hautes, qui cachent les morts aux passants. La prophétie de l'Etranger s'est réalisée. Là où étaient les arbres, des voitures roulent vite. Il y passe aujourd'hui une route qui relie deux villes. Je l'emprunte, en essayant de regarder droit devant. Mais je vois. Les tombes ont mal vieilli et perdent leurs couleurs. Les cerfs-volants aussi. Les enfants ne les fabriquent plus avec du papier fin de toutes les couleurs, mais en coupant en quatre de vieux sacs en plastique. Le ciel des cerfs-volants est devenu tout gris. Le temps a changé, comme le régime d'importation. Comme tant de choses. Les grossistes ne commandent plus du papier pour les cerfs-volants.

Les héritières de la propriétaire, de bonnes bourgeoises comme leur parente, ont fait démolir la pension. La vieille bâtisse craquelait et pourrissait sur place, mais le quenêpier aurait pu vivre encore longtemps. Avant la démolition, il ne restait que Raoul pour tout locataire. Personne ne voulait louer. Il existait encore des vieux messieurs perdus dans leurs secrets et de jeunes maîtres désœuvrés, mais la propriétaire avait monté les prix et exigeait d'être payée en monnaie étrangère. Elle est morte avec la pension. Ses héritières ont su allier tradition et modernité. Elles ont levé un bel ouvrage d'architecture moderne et le louent, étage par étage, à des ONG américaines. Il y a de ces familles qui, de génération en génération, on pourrait dire par atavisme, ne peuvent vivre, pour être heureuses, que de l'aide étrangère. La propriétaire n'aimait pas l'Etranger, mais elle voyait en lui un précurseur, elle avait dû en parler à ses ayants droit : il était le seul qui payait son logement en devises.

Au pied du Morne L'Hôpital, les maisonnettes penchent, battent l'équilibre, comme on dit, mais, miraculeusement, elles restent encore debout en s'appuyant l'une contre l'autre. Leur nombre a augmenté. La montagne, bonne mère, laisse fouiller son ventre et ne s'effondre pas. Des voix, de plus en plus criardes, de plus en plus nombreuses, chantent encore le soir du fond des maisonnettes. Mais, à cette heure, les ONG sont fermées, l'immeuble vide, les coopérants ailleurs, au repos dans leurs appartements. Le soir, des gardes assurent la sécurité de l'édifice. Je suppose qu'ils doivent dormir à leur poste, personne ne songeant à violer un immeuble équipé d'alarmes et de caméras. Il est possible aussi que les gardes ne dorment pas. Mais la climatisation ferme la porte aux chansons.

Je ne sais pas ce que l'on chante de nos jours. J'ai oublié le peu d'anglais que j'avais appris. Et l'on chante surtout en anglais. Je ne reproche pas aux choses d'avoir changé, seulement d'avoir changé dans mon dos. Le syndicat est devenu une institution. Nous n'avons pas gagné mais nous n'avons pas perdu non plus. J'assiste aux assemblées générales, pour mémoire. Quelques-uns des membres fondateurs appartiennent encore au comité exécutif.

Ils réclament pour leurs opinions l'autorité du droit d'aînesse et s'entendent mal avec les jeunes. D'autres ont quitté le pays il y a longtemps. Ils reviennent parfois en vacances avec leur femme et leurs enfants, et organisent à l'occasion des fêtes du souvenir pour présenter les vieux amis à leur petite famille. Certains sont morts : un accident de voiture, une crise cardiaque, de vilaines maladies. Les moins chanceux ont épousé des femmes comme celle de l'Historien ou des machos qui s'écoutent parler de l'héroïsme de leur jeunesse. Il n'y avait pas beaucoup de femmes dans nos rangs. Elles n'étaient pas moins combatives que les hommes. Elles avaient des vies difficiles. Mais elles étaient vivantes. La famille de l'Historien vit encore. S'il faut appeler ça vivre. Dans une maison de retraite pour les anciennes de l'amicale de je ne sais quelle congrégation. On n'a pas le droit de juger, mais je souhaite que jusqu'à sa mort physique elle sente sur son cou les doigts de l'Historien, que sa mémoire reste fidèle à sa peur, ce soir où l'homme dont la vie n'était rien qu'une suite de concessions avait failli la tuer.

J'ai déménagé de la pension quelques mois seulement après la mort de l'Etranger. Le syndicat se développait. On parlait de nous, en bien, dans les réunions clandestines, en mal, dans les cercles officiels. La propriétaire, déjà qu'un fou était venu mourir "chez elle", craignait la descente de police qui menaçait les dirigeants. Je passais pour un dirigeant sans en avoir le flair ni le tempérament. Mais j'étais disponible. L'économie du temps consacré par les autres au désordre amoureux ou à la vie de famille me permettait d'accomplir un grand nombre de tâches. A l'ouverture d'une réunion, je m'étais plaint du retard de quelques camarades. L'un d'eux m'avait répliqué que mon exactitude n'était pas une vertu mais la conséquence directe de mon absence de vie sexuelle. Il avait dit "affective", mais j'avais entendu "sexuelle". Je ne me souviens pas bien. Il avait peut-être dit "sexuelle", et moi j'avais entendu autre chose. Cela n'a aucune importance. Ni la recherche de l'âme sœur ni celle de la fête charnelle n'occupaient mon temps. J'avais aussi abandonné l'idée d'écrire un grand chant. A l'impossible nul n'est tenu. Je ne parvenais pas à forcer les mots à tenir tout seuls, sans le support d'un récit. Je trouvais dans le roman une stratégie de la disparition, une rupture avec tout projet d'expression d'une vérité intime.

J'avais remplacé le mythe du cantique par celui de la fresque.

Après mon départ de la pension, j'avais un peu perdu de vue les Aînés. Je m'étais plongé dans la rédaction d'un livre sans humour sur un quartier de la ville qui, sur quarante années de vie, avait quatre fois changé de peau. C'était, à son commencement, un vrai modèle de savoir-vivre où tout le monde se connaissait. L'économie, comme une gangrène souterraine, avait grignoté les fonds si nécessaires aux bonnes manières. Les premiers habitants se rendaient compte brusquement qu'ils étaient les derniers de ce groupe initial. Le quartier s'était appauvri. Mais il y avait un bon côté. Il était devenu, dans sa deuxième version, un quartier bavard et jovial, comptant beaucoup de joueurs de dés, d'audienceurs et de guitaristes. On y allait pour rire. Au plus fort de la répression politique, quand plus personne n'osait crier, rire, courir, danser, être trop triste ou trop heureux, afficher en public le doute ou la mélancolie, peindre la vie en rouge, se parler à lui-même, pratiquer un sport de combat, sortir la nuit pour compter les étoiles, révéler ses pensées secrètes à un enfant ou un parent, le quartier avait résisté à la maladie du silence. Mais en période dictatoriale les jeunes gens ne grandissent pas au rythme auquel on les tue. Au troisième temps du quartier, quand le rideau d'une fenêtre bougeait, on ne voyait derrière que le visage apeuré d'un vieillard. Au moment où je commençais la rédaction de mon roman, il avait encore changé et perdu toutes ses prétentions. Je suivais le tracé de cette drôle de frontière entre la ville et le bidonville. J'allais voir les Aînés à chaque fin de chapitre pour leur prouver que je travaillais. En semaine, Raoul sortait moins. Mais il continuait ses promenades du samedi. Il avait ajouté le cimetière du Bois Carradeux à son parcours du combattant. Les chauffeurs de taxi ne râlaient pas. Cela faisait pourtant un sacré trajet de la pension au bois, du bois au centre-ville, du grand cimetière du centre-ville aux cimetières de banlieue. Les pluies coupaient souvent les ponts. A la saison des pluies, les routes en terre battue étaient boueuses et glissantes. A la saison sèche, la poussière vous faisait un nœud au fond de la gorge, et quand on ouvrait la bouche pour parler, on la sentait poudreuse, comme si on venait de mâcher de la craie. Avec Raoul, nous parlions des routes, du temps qu'il faisait, de la condition des travailleurs. Nous ne parlions jamais de l'Etranger. L'Historien ne buvait plus au goulot. Il avait conservé les verres et faisait comme au temps où il partageait avec l'Etranger. Un pour l'ami. L'autre pour lui. Mais il ne venait pas d'ami. Il ne venait que sa visiteuse du dimanche, et moi, quand j'avais le temps. J'avais appris à boire et, quand j'allais le voir, je prenais un coup avec lui, dans la cour, sous le quenêpier. Il était ivre dès la première gorgée, et sa voix ne portait plus. Je devais faire beaucoup d'efforts pour entendre ses paroles. Je devinais les mots et me trompais souvent. La conversation en devenait impossible. L'Etranger ne faisait pas partie des sujets que nous abordions. Il est vain de parler de ce qui nous manque. Je n'avais jamais parlé aux Aînés de la jeune fille qui m'avait éloigné de ces jeux de rôle que, par dépit ou par sagesse, je jugeais futiles et dangereux. Je devrais dire des jeunes filles. Je suis certain maintenant que, sur une courte période, j'ai dû frapper à plusieurs portes. Une aventure ratée peut-elle suffire à un rejet qui dure si longtemps !

Il en faut au moins deux, même trois. Combien de fois faut-il n'aimer que toi et pour toujours avant de rompre à jamais avec cette intention ! Mais on ne rompt pas à jamais. Le débat de ce jour porte sur l'engagement, la responsabilité, le rôle de l'écrivain dans la société. On revient à ces choses qu'on avait oubliées. Et, dans le public, le taux de représentation des pays pauvres a visiblement augmenté. Le modérateur, en changeant de thème, a changé de tenue vestimentaire. Toi aussi, tu as changé. Le professeur entreprenant insiste et te parle souvent. Cela n'a pas l'air de te déplaire. Tu parais plus détendue, moins étudiante, moins occupée à prendre des notes afin d'établir les profils les plus intéressants pour ton club de lecteurs. Moins fidèle à cette image un peu austère que tu donnais les premiers jours. Fidèle ! Je me rappelle le rire de l'Historien. A quoi faut-il rester fidèle ? L'Etranger l'était à un rêve. L'Historien à une défaite, et sa femme à une condition. Raoul… Non, je ne te parlerai de Raoul que plus tard. Il avait fait le plus bel usage imaginable de la fidélité. Presque sauvé le mot. Le lexique est injuste en son insuffisance. Comment un même mot peut-il se retrouver dans la bouche de Raoul et dans celle de l'Autre ! Moi, je me croyais fidèle à la prudence qui m'a fait fuir l'amitié et le corps des femmes. Je me sens aujourd'hui glisser dans l'infidélité. Tout près de me trahir. Je devrais avoir peur. J'ai, dans les mains, tandis que j'écris, une grande envie de dire : je t'aime. Voudrais-je, parce que toi, revenir au cantique ?

Un soir, en rentrant, j'ai trouvé la visiteuse de l'Historien devant ma porte. Elle n'avait pas vieilli. Visiblement, elle avait fait des efforts pour soigner son apparence. Elle étouffait dans ses chaussures. Elle n'était pas née pour porter des chaussures fermées et ne devait d'ailleurs en porter que lorsqu'elle s'habillait en conformité à l'idée qu'elle se faisait des exigences vestimentaires du grand monde. Un médecin m'a parlé de cette phobie, moins rare qu'on ne le croit, qui affecte des personnes éprouvant une sensation d'étouffement dès qu'un quelconque objet, si petit qu'il puisse être, enserre une partie de leur corps. Des chaussures, un anneau, un collier. Elle souffrait peut-être de cette peur. Elle n'était pas agressive, pas hypocrite non plus. Elle ne me disait pas qu'elle avait longtemps hésité avant de venir. Elle n'avait pas hésité. Elle ne serait pas venue si ce n'était très important, mais ne s'excusait pas de me déranger. C'était très important, je pouvais aider, elle était venue. J'habitais un studio dans une vieille maison haute coupée en mille morceaux pour loger des appartements. La dernière chambre. En haut, au fond. Je lui offris de monter. En montant les marches, elle avait enlevé ses chaussures. Son geste ne me surprenait pas. M'aurait-il surpris ou choqué, cela ne l'aurait pas ébranlée. Elle longeait le couloir qui menait à ma chambre, ses chaussures à la main, avec un sourire qui disait : c'est comme ça. Je m'étais trompé sur elle. Dans la cour de la pension, elle avait juste mal aux pieds, à cause des chaussures. C'est vrai que nous l'entendions rire et que l'écho de sa voix nous parvenait. Une voix claire, sans tremblement. Dans mon studio, je n'avais rien de comparable à cette liqueur d'anis qu'elle buvait avec l'Historien le dimanche matin. Je n'avais que de l'eau fraîche et du café. Il était tard, mais elle prendrait bien un café. Elle trouvait que c'était calme, chez moi. Calme, mais moins triste que la pension… Elle cherchait un mot pour résumer l'atmosphère de la pension… Quelque chose de plus fort que triste. Je l'aidai… "Lugubre…" Oui, c'est ça… Lugubre. Surtout maintenant qu'ils ne sont plus que deux, là-bas. Dans son quartier à elle, ce n'était jamais calme. Le mot n'existait pas dans leur vocabulaire. On entendait toujours beaucoup de bruit. Trop de bruit. Pourtant ce n'était pas… Comment, déjà ? "Lugubre." Oui, c'est ça… Lugubre. Mais elle n'était pas venue parler de son quartier. Elle n'était pas venue pour elle. Cela concernait monsieur Robert. Le café était bon, elle voulait bien d'une autre tasse. Depuis toute jeune, elle avait toujours bu beaucoup de café. Pour ne pas s'endormir au mauvais moment… C'est concernant monsieur Robert… Elle m'énervait à l'appeler monsieur Robert. Elle n'était quand même pas sa domestique, et entre adultes, entre amants, on ne s'appelle pas monsieur ! Elle n'était pas sa maîtresse, elle aurait bien aimé, surtout lorsqu'ils étaient jeunes, parce que faire l'amour c'est pas grave, quand on est consentants et que ça se passe bien, ça fait de bons moments, mais cela ne s'était jamais produit. Au Portail Léogâne, on appelait "monsieur", "madame" ceux qui venaient d'ailleurs. Et elle l'avait toujours appelé monsieur Robert. Depuis qu'elle avait seize ans et qu'elle avait repris le commerce de friture d'une vieille tante. Il venait avec son ami, monsieur Jacques. Ils achetaient de la viande de porc, des acras et des patates frites et restaient longtemps à discuter. Monsieur Jacques est mort, il y a très longtemps. Mais, monsieur Robert, il ne va pas bien. Je sais pas comment le dire, mais c'est tout pourri à l'intérieur de sa gorge. Il crache tout le temps, et c'est du sang. Monsieur Robert, s'il n'entre pas à l'hôpital, il va mourir. Mais il refuse. Il dit qu'il préfère mourir, tranquille, dans sa chambre, avec ses livres. A l'hôpital on lui donnera des pilules pour calmer la douleur et l'endormir, l'Autre en profitera pour venir. Il dit qu'il ne veut pas qu'elle vienne donner la comédie devant son lit de mort. Vous savez comment il est, comment il parle… Je ne savais rien. A part que j'arrivais à peine à l'entendre quand il parlait. Et que c'était rarement de lui. Comme si ce qui se passait en lui n'avait aucune importance. L'Autre ? Son épouse. Il l'appelle comme ça. Il l'appelait pas comme ça avant le mariage. Son nom, c'est Isabelle. Monsieur Jacques, il l'appelait comme ça, l'Autre, mais c'était pas sa femme. Monsieur Jacques, il aurait voulu l'aimer, il voulait aimer tout le monde, mais ça passait pas entre eux. Monsieur Jacques, il accusait monsieur Robert d'avoir du goût pour les beautés froides, vu que les premières femmes qu'il avait admirées c'étaient des reines dans les livres d'histoire. Ils se lançaient des paroles comme ça, mais c'était pas méchant. La sauce piquante, c'était surtout monsieur Jacques qui la jetait dans la conversation, mais c'était pour y mettre du vivant, du mouvement. La police militaire est venue m'arrêter le lendemain de sa mort. En prison j'ai appris, pour lui, et pour les autres.

Quand on m'a libérée, j'ai repris mon commerce, mais monsieur Robert ne venait plus. Des années, il n'est pas venu. Il me manquait. Ils parlaient si bien. Tous les deux. Ils passaient la soirée à discuter de choses que je ne comprenais pas, au début, en tout cas. Monsieur Jacques, il n'avait peur de rien et monsieur Robert n'était pas toujours d'accord avec lui. Moi, je les aimais tous les deux. Ils étaient arrivés ensemble. J'avais pas à choisir. Ils allaient ensemble, et vouloir en prendre un seul, ç'aurait pas été une bonne idée. Y a des gens, quand ils disent "je t'aime", c'est une parole terrible, ils prennent ce qui les intéresse, et, le reste, ils le jettent. L'un sans l'autre, il manquait quelque chose. Et puis monsieur Jacques est mort. Et puis la police est venue m'arrêter. Après la prison, monsieur Robert ne venait plus. J'entendais son nom à la radio. Une fois, il passait à la télévision. Il passait peut-être souvent. Mais, moi, je regarde pas souvent la télévision. Une fois j'ai vu leur photo sur la couverture d'un magazine : monsieur Robert et l'Autre. C'était une publicité pour le couple. Comme quoi on leur donnait un prix ou une médaille. Mais j'avais pas vraiment lu. Excusez-moi, monsieur… je sais que vous écrivez des livres, je devrais pas dire ça, mais je lis pas beaucoup. J'ai appris ce qu'il faut pour pas mourir idiote, mais c'est tout. Monsieur Jacques, il voulait me passer des livres. Mais j'en voulais pas. A la prison, lors des interrogatoires, ils posaient des questions sur les livres que j'avais lus, qui lisait au Portail Léogâne et qu'est-ce qu'on y lisait ? Comme si on vivait dans le luxe, l'indolence ou l'ennui et qu'on passait notre temps à lire… J'avais rien lu. Tout ce que je sais, je le tiens du Portail. Excusez-moi… J'étais contente pour monsieur Robert, de le voir heureux sur la photo. C'est pas parce que j'avais passé deux ans enfermée que tout le monde doit souffrir. Monsieur Jacques, il connaissait deux passions à monsieur Robert, son métier et l'Autre. Il ajoutait, il fallait toujours qu'il mette du piquant, que cela n'en faisait qu'une, l'Autre étant belle mais froide comme une pièce de musée. Monsieur Robert aimait tellement sa fiancée. Il n'osait même pas prononcer son nom, comme pour pas le salir avec sa bouche. C'était pas un amour, c'était un vrai culte. Il était pas capable de lui dire : là, t'as fait une vacherie. Les vacheries, ça se pardonne en amour. Sauf quand ça devient une habitude. Quand ça devient une habitude, on perd le sens de la mesure, et un jour on en fait une de trop. On va trop loin, et ça change tout. L'Autre, elle avait passé les limites. Maintenant il la déteste, et il refuse d'entrer à l'hôpital. S'il vous plaît, monsieur... il faut le convaincre. Qu'est-ce que ça peut faire si l'Autre vient ! Ce n'est pas la faute d'un malade si une personne méchante lui rend visite à l'hôpital. Monsieur Robert, il a assez payé, et puis tout ça, c'est loin. Il n'écoute pas monsieur Raoul, et, monsieur Raoul, il se porte pas très bien non plus. Mais, vous, il vous écoutera. Il dit que vous lui ressemblez, quand il était jeune. C'est vrai. Vous avez une tête à vivre dans les livres. Après la prison, quand il a cessé de venir, je pensais qu'il m'avait oubliée. Un soir il est revenu. Il avait ouvert un compte à mon nom. Quand il m'a annoncé ça, je croyais qu'il plaisantait. Il avait beaucoup bu. Avant, il ne buvait pas. Mais il ne plaisantait pas. Il s'était mis à parler du passé, de monsieur Jacques, des amis de monsieur Jacques, de l'Autre, de sa fille, comme une personne qui va mourir fait la somme de ses pas perdus. Il y avait une blague entre nous. Ils discutaient avec moi. Les clients s'impatientaient et me donnaient des noms. Ils répliquaient que j'étais leur petite femme et qu'ils exigeaient du respect, quand les autres me parlaient. Ils me demandaient en riant lequel des deux j'aimerais épouser. C'était une blague. Les jeunes gens comme eux n'épousent pas les filles comme moi. Mais la blague n'était pas méchante. Je répondais que je les aimais tous les deux et que je ne voulais pas choisir. Quand il est revenu, un soir, alors que je croyais qu'il m'avait oubliée, monsieur Robert, il pleurait sur le passé, il répétait comme s'il y croyait qu'ils auraient dû m'épouser, monsieur Jacques et lui. J'étais contente de voir qu'il se rappelait la blague. Mais il était triste et sérieux. Dans sa tête, c'était plus une blague. Il voulait changer le passé. Ça aussi, ça le tue. Monsieur Robert, il a pas de présent, pas d'avenir, rien qu'un passé qu'il voudrait changer et cette pourriture dans sa gorge. Ce soir-là, il criait qu'il regrettait un tas de choses, que maintenant il ne restait plus que lui, qu'il n'était qu'un lâche qui n'avait même pas le courage d'étrangler l'Autre, que c'était tout ce qu'elle méritait.

La nuit était tombée. Elle souhaitait rester. Depuis sa libération, elle avait perdu l'habitude de sortir la nuit. Surtout maintenant qu'avec l'argent de l'Historien elle tenait un commerce de jour, dans une maison propre. Des jeunes gens venaient y prendre leur repas de midi, mais ce n'était pas comme au temps de monsieur Jacques et de monsieur Robert. Eux, ils avaient des idées. Trop d'idées. Surtout monsieur Jacques. Monsieur Robert, il le taquinait de vouloir changer le monde. De vouloir tout changer. Même la façon d'aimer. Monsieur Jacques, il voulait changer la façon d'aimer. J'avais beau lui dire que l'amour, pour le peu que j'en savais, chacun le faisait à sa façon, y a des gens pour qui c'est très simple et d'autres qui compliquent tout, y a des gens qui y vont direct et d'autres qui sont pas contents si ça manque de fioritures, y a des gens qui prennent ce qu'ils trouvent et donnent ce qu'ils peuvent et d'autres qui ont peur à cause des commandements, monsieur Robert, il voulait un amour qui mette tout le monde d'accord. Elle pouvait rester dormir. Je lui laisserais le lit. Mais non, on pouvait partager le lit. Dans son enfance, elle ne dormait pas dans un lit toute seule. Ils étaient trois, parfois quatre. Parfois ils étaient quatre, et y avait pas de lit. Une galerie. Un dépôt. Un coin de rue. Parfois, rien qu'un matelas. Les matelas comme ça, sur le sol, c'était mieux que les sommiers en fer qui s'enfonçaient sous le poids et vous piquaient les côtes. Monsieur Jacques voulait tout changer : le nombre d'enfants qui dormaient dans un lit, les façons d'aimer, la distribution du pain et des millions de choses. Il n'avait pas une aussi belle voix que monsieur Robert, mais, sous ses airs de petit garçon chétif, c'était un vrai chef. Il reprochait à monsieur Robert de ne pas être un homme d'action, tout juste un petit prince du savoir qui s'était laissé éblouir par une femme en papier glacé. Pour jouer, il lui lançait des défis. Tu n'oserais sûrement pas faire l'amour avec une belle fille comme Marguerite, si l'occasion se présentait. Monsieur Robert lui répondait qu'on ne pouvait pas tout changer et remontait loin dans l'histoire pour éviter le sujet. Monsieur Robert, il était timide sur ces questions-là. Dès que le corps entrait dans la conversation, il se sentait mal. Et j'étais pas belle à ses yeux. Moi, ça ne me vexait pas. Ils n'arrêtaient jamais de se dire de fausses paroles dures. C'était leur façon de s'adorer. Quand y avait plus de clients, je rangeais les réchauds dans mon coin, dans un dépôt de vivres alimentaires. J'avais un arrangement avec le gardien. Je dormais là. Monsieur Jacques, il est revenu une nuit. Il m'a demandé de lui rendre un petit service. Il m'a expliqué. Ce n'est pas comme si je ne savais pas ce que je faisais. Il m'a parlé longtemps. J'ai parlé aussi. Monsieur Jacques, il savait écouter. A la fin, j'ai accepté. Nous sommes sortis pour fêter ça. A l'époque, au Portail Léogâne, y en avait qui dormaient jamais. Y en avait qui passaient la nuit debout à parler de foot. Et ceux que les camions arrivant de la province avaient débarqués à la station qui attendaient le jour pour s'inventer une destination. Les hôtels de passe ne fermaient jamais. Après le travail, les filles qui faisaient le trottoir, il fallait bien qu'elles boivent un coup entre filles et déversent leur bile avant de rentrer. Elles prenaient rendez-vous dans le bar que tenaient deux anciennes qui s'étaient mises ensemble depuis qu'elles avaient dix-sept ans. Elles avaient débuté très tôt, mais c'était pas un métier pour elles. Elles n'aimaient pas vraiment les hommes. Elles s'étaient retrouvées dans une chambre à la demande d'un client. Elles l'avaient laissé là et s'étaient mises ensemble. Elles n'avaient pas prêté serment devant un officiel et se fâchaient de temps en temps, mais tout le monde savait que c'était pour la vie. On les appelait les Amoureuses. Les filles, elles se donnaient rendez-vous au bar des Amoureuses et se racontaient leurs problèmes. Leurs joies aussi. Y avait aussi les guitaristes qui entraient dans le bar, jouaient un morceau, buvaient un coup, s'en retournaient dehors jouer pour les passants. Une voiture s'arrêtait, les passagers descendaient, commandaient une romance, laissaient quelques pièces au chanteur et repartaient vers leur destination. Les musiciens retournaient boire un coup dans le bar avec l'argent des voyageurs et, quand ils n'avaient plus d'argent, ils allaient jouer dehors et attendaient une autre voiture. Monsieur Jacques, il voulait boire à ma santé. Personne n'était estomaqué de nous voir arriver ensemble. Les Amoureuses, elles nous ont servis comme elles servaient tous les clients. Monsieur Jacques, il était pas gêné, il avait pas à l'être. Au bar des Amoureuses, tous les clients étaient égaux. Il était un client comme les autres, et cette idée d'égalité lui avait fait plaisir. On n'en avait rien à faire des statuts et des origines. Il était content. Nous sommes sortis du bar et on s'est assis pour écouter quelques chansons. Monsieur Jacques, il voulait une chanson engagée, mais le chanteur, il connaissait pas l'expression. Puis on a fait le tour du quartier. J'étais son guide, et ça le faisait rire. Il regrettait un peu l'absence de monsieur Robert. Plus qu'un peu. Monsieur Jacques, j'avais l'impression que même dans le lit d'une femme il songeait à monsieur Robert. C'est ce qui s'est passé. Il m'a raccompagnée jusqu'au dépôt, et l'occasion s'est présentée. C'était la première fois que je faisais l'amour avec un jeune homme qui avait été à la fac. Ce n'était pas très différent. C'était agréable. Monsieur Jacques, il se croyait dans l'obligation de me convaincre que ce n'était pas un péché. Ça m'avait fait rire. Dieu, s'il existe, je vois pas en quoi cela pourrait le déranger. S'il a la puissance qu'on lui prête, faut croire qu'il est intelligent. Ça, pas besoin de lire dans les livres pour le savoir. L'amour, j'avais commencé à quatorze ans. Eviter les coups, la maladie et la grossesse. Prendre du plaisir quand on en a envie. Sans forcer. C'était pas une chose après laquelle je courais, je la fuyais pas non plus quand l'occasion se présentait et si j'aimais bien la personne. C'est peu de temps après que monsieur Jacques est mort et qu'on m'a arrêtée. On sait jamais ce qui vient après. Une nuit d'amour, si ça vient tout naturellement, c'est déjà ça de gagné. Monsieur Jacques, je l'aimais plus qu'un peu. Monsieur Robert aussi. Je les aurais épousés tous les deux. La nuit seulement. Le jour, ils m'auraient empêchée de travailler, à parler tout le temps. Oui, tous les deux. A mon gré. Monsieur Robert, il prenait les femmes pour des portraits. Monsieur Jacques, pour des militantes. Je les aurais un peu changés. A chacun ses règles. Monsieur Jacques, il disait que les règles peuvent changer. Maintenant ils l'ont tué. Et monsieur Robert va mourir s'il n'entre pas à l'hôpital.

Elle s'appelait Marguerite. Elle n'était pas née dans une maison, elle n'avait pas grandi dans une famille. Elle était l'enfant du Portail. Elle avait développé très vite la sagesse et la débrouillardise qu'il faut aux survivants qui n'ont pas eu le temps d'apprécier ce luxe des classes aisées que l'on appelle l'adolescence. Elle n'était pas gênée de la proximité de nos corps sur le lit. Au fond, c'est l'un des êtres les plus équilibrés qu'il m'a été donné de rencontrer. La gêne, c'étaient les chaussures. Une fois qu'elle se sentait en confiance, sa parole était droite, limpide, libre. Elle dormait en s'arrangeant pour ne pas prendre beaucoup de place, mais elle ne reculait pas quand nos corps se frôlaient. Avant de s'endormir, elle avait dit : Si c'est une occasion… Mais ce n'en était pas une, et elle n'était ni fâchée ni déçue et souriait dans son sommeil, l'esprit apaisé et la conscience tranquille.

Le lendemain matin, c'est elle qui a préparé le café. Je la regardais faire. Au pénitencier, ils lui avaient cassé le corps. On connaissait le rituel : les pinces, les cigarettes, les vexations et les tortures sexuelles, les coups, les réveils-surprise, les coups encore pour briser toute résistance, réduire la personnalité à zéro. Elle n'en était pas morte. Elle avait récupéré son corps et ses idées. Son corps était beau dans sa vitalité. Je lui avais promis de tenter de convaincre l'Historien. D'essayer. Cela lui suffisait. Ma promesse la tranquillisait. J'avais passé une partie de la nuit à corriger les épreuves de mon roman. Je le publiais à compte d'auteur, comme c'était la mode à l'époque. Dans deux petites semaines, le livre serait fabriqué. On pourrait l'acheter en librairie, le lire, le commenter. Elle regardait les feuillets éparpillés sur la table. Vous n'avez pas beaucoup d'ordre. Monsieur Robert, il était très méticuleux. Il avait une façon de classer les choses dans sa tête, selon l'ordre dans lequel elles s'étaient passées. Monsieur Jacques, il n'avait pas d'ordre, mais des idées sur plein de choses. Il essayait d'en faire un tout, il appelait ça son système. Il portait des pantalons trop grands et il oubliait ses livres sur le banc. Il disait qu'il ne pourrait jamais vivre avec une femme comme l'Autre, elle avait aussi son ordre dans sa tête, et ce n'était pas le même système. Mais monsieur Robert pensait qu'au contraire monsieur Jacques et l'Autre pouvaient faire une belle paire, justement à cause de leurs différences, et que de toutes les façons c'était plutôt dans leur intérêt à tous les deux, il avait des recherches à effectuer, une œuvre à construire et il n'entendait pas passer son temps à arbitrer les chamailleries entre la femme qu'il aimait et son meilleur ami. Monsieur Jacques, c'était un vrai diable. Pas qu'il était méchant. Au contraire, il voulait le bien. Il bougeait tout le temps à la recherche du bien. Monsieur Robert, il était tellement bon qu'il ne voyait jamais le mal. Le soir de la noce, après le banquet, monsieur Jacques est quand même venu acheter sa friture au Portail, dans son costume de témoin. Moi, je n'avais pas assisté à la noce. Les cérémonies, les chaussures. Et comment savoir qui est vraiment content derrière les masques de circonstance ! Monsieur Robert, il aurait été content. Il me l'a dit. Des années après. Si j'avais su, j'y serais allée. Ça m'aurait coûté un peu, les chaussures, la robe, les vieux messieurs gagas et les putes de la haute. Mais quand on aime, faut se déranger. Monsieur Robert, il a toujours eu une tendance à dire les choses trop tard. Il avait les yeux fermés sur son idole. L'Autre, c'était une idole. Il voyait pas ce qu'ils voyaient. Après, ses yeux ont regardé en arrière pour constater, tout tristes, que le temps s'était pas arrêté. Monsieur Jacques, il voulait que j'aille à la noce. Rien que pour embêter les belles familles. Monsieur Jacques, même s'il était sérieux dans sa tête, c'était aussi un gamin. Le contraire de monsieur Robert toujours sérieux, tellement sérieux. Excusez-moi, monsieur… de retourner à ces choses du passé. Vous savez, sa fille lui manque. Il aimerait la connaître. Sa plus grande peur, c'est qu'elle se fasse une mauvaise idée sur lui. Il n'a cependant jamais tenté de l'amadouer ni de la mettre au courant. C'est une chose entre l'Autre et lui. Souvent il m'a demandé à moi si je le jugeais mal de n'avoir pas pu l'étrangler jusqu'au bout. De ne pas m'avoir avertie, quand il a su. Qu'est-ce que je peux lui répondre ? Si l'Autre mérite de mourir ? Oui. Faut-il condamner celui qui la tuera ? Non. Mais on n'est pas obligé de la tuer non plus. Ni de souffrir d'avoir essayé et de n'avoir pas pu. S'il m'avait donné l'information, je l'aurais transmise aux survivants. Peut-être se seraient-ils vengés. Eux, ils peuvent tuer. Monsieur Robert, lui, n'est pas né pour étrangler qui que ce soit. Il est né pour parler du passé. J'ai des clients qui ont été ses étudiants. Ils disent que personne ne sait mieux parler du passé. Il a arrêté un jour. Sauf pour vous, ses amis de la pension. Il vous aimait tous les trois. Il disait que monsieur Raoul est une sorte de saint. Même l'autre qui lui lançait toujours des méchancetés, il l'aimait. Sur l'amour, je veux dire celui qu'on fait dans les lits, il n'osait pas rattraper le temps perdu. Il avait honte. C'est pour cela qu'il avait arrêté de parler, de sentir. C'est un peu comme s'il s'était coupé la langue. Et le reste. Il ne se pardonne pas. Un tas de choses. D'avoir raté le présent. D'avoir aimé l'Autre. De l'aimer toujours. Monsieur Robert, il ne se pardonne pas de n'être pas clair en lui-même avec sa propre histoire d'amour. Il apprécie vos poèmes, mais il préfère ne rien vous dire, à cause de leurs sujets. L'amour, ça peut être une belle chose, mais c'est une saloperie aussi. Il pense ça, monsieur Robert.

Nous avions fini le café. Elle allait retrouver son Portail Léogâne, et moi j'allais à la pension. Elle ne voulait pas prendre un taxi. Elle préférait marcher. Elle était restée deux ans dans une cellule. Deux ans à ne pouvoir faire six pas dans la même direction sans se cogner contre un pan de mur. Alors, quand elle avait la chance de rattraper les pas perdus… Même avec ces chaussures… J'avais une question. Qu'est-ce qu'elle avait fait, l'Autre ? Ce qu'elle avait fait ? Le plus crétin des crétins pouvait comprendre ça ! Monsieur Robert a mis du temps, parce qu'il l'aimait. C'est elle qui a tué monsieur Jacques, et les autres. C'est elle qui nous a dénoncés. C'est à cause d'elle qu'ils sont venus me chercher devant mon commerce et qu'ils ont commencé à me frapper, sur la place, devant les clients. C'est elle aussi qui a tué monsieur Robert. Depuis le jour qu'il a compris que c'était elle, il a cessé de vivre. Mais je sais que s'il entre à l'hôpital il trouvera la force de vous dicter ses notes. Il a tout dans sa tête. C'est tout ce qui lui reste. Monsieur Robert, c'est quelqu'un qui s'est trompé de vie. La seule chose qui pourrait le sauver, lui procurer un peu de bonheur, c'est un faux testament dans lequel il raconterait son autre vie. Celle qu'il a rêvée après. Une fausse rétrospective. C'est lui qui m'a appris ce mot. Rétrospective. Monsieur Robert, dans son silence, il connaît des mots comme ça, qui sont très beaux. Après le mensonge de la vie avec l'Autre, il ne lui restait plus que ses soirées avec nous. Celles qu'il avait oublié de noter dans son livre d'histoire comme les plus belles de sa vie. Le Portail de la belle époque. Malgré tous les tracas, on riait bien. On s'aimait bien. Faut pas laisser la merde qui s'est produite après nous faire oublier ça.

Mon enfance avait été nourrie de rumeurs de personnes disparues, d'allées et venues dans les prisons. Tous les jours, on murmurait les noms des entrants, des sortants. La plupart des entrants sortaient les pieds devant. Des ouvriers, des sages-femmes, des commerçants. Des étudiants, des francs-maçons. Des citoyens pris d'un accès de rage et ayant crié : A bas ! Assez !

Au moment où nous avions décidé de créer un nouveau syndicat d'enseignants, les risques étaient moindres. Nous connaissions l'histoire du mouvement syndical. Son écrasement. Ses héros. Notre tentative n'était pas sans danger, mais on tuait moins vite. On laissait faire un peu. Dans le passé, ça avait été beaucoup plus dur. On tuait la révolte dans l'œuf. On tuait l'œuf, la poule, les adultes, les enfants. On tuait les personnes dangereuses et on tuait les innocents. Il n'y avait pas d'innocents. Toute personne vivante était jugée dangereuse. Même les écrivains. Les dictatures sont nos lectrices les plus fidèles et nos critiques les plus sévères. Elles savaient distinguer les livres qui posent problème de ceux qu'on oublie vite.

Sans la partager, j'ai compris, ce matin, la révolte de ce vieux poète contre les nouveaux diktats qui veulent que l'écrivain, pour faire œuvre qui vaille, se passe de causes et d'idéaux. Ses vieux mots ont

saccagé les certitudes actuelles, et le modérateur a
eu toutes les peines du monde à rétablir la paix. Je
te regardais durant la drôle de guerre. Tu écoutais
sans que ton visage laissât paraître le moindre
indice de ta position sur ces questions. Tout cela
vaut-il la peine ? Chacun écrit les livres qui lui sont
nécessaires. Je pourrais aujourd'hui écrire un livre
qui te dénude, un livre dans lequel tu circulerais
sans vêtements. Moi aussi j'irais nu, au sens où je
me raconterais à toi. Le peu de moi qu'il y a à
raconter. Je ne l'écrirai peut-être pas, me contentant d'ouvrages de substitution qui traiteront de
tout autre chose. J'ai parlé trop vite : on n'a pas
toujours les moyens d'écrire les livres qui nous
sont nécessaires. Et la nudité se paie parfois trop
cher. Dans les histoires de l'Etranger, il y avait
celle de ces deux personnes qui n'étaient pas tout
à fait des amants, dont la relation avait tourné à la
haine, au mépris, chacun s'étant trompé sur l'objet
de désir et le sens du partage. Pour faire plaisir à
l'homme, la femme lui avait montré ses seins.
Après, revenant sur son geste, elle avait jugé avoir
trop donné. Il n'était pas son amoureux, juste un
artiste de seconde zone qu'elle fréquentait vaguement, quand elle avait du temps. Elle avait perdu
toute estime pour l'homme, le rabrouait, l'humi-
liait avec des mots durs, lui reprochant de lui avoir
volé quelque chose. L'homme, un peintre, avait
peint, avant de les voir, son rêve des seins de la
femme. Pour vérifier que la réalité était plus belle
que le rêve, il avait insisté pour qu'elle enlève son
corsage. Sans doute avait-il eu tort. C'est toujours
un tort de forcer l'autre au sacrifice. Sous le flot
des reproches, il avait cessé de peindre ce qu'elle
avait de beau, pour dresser le portrait de sa par-
cimonie. Personne n'aime être pris pour un vil
accessoire. A la fin de l'histoire, chacun se jugeant

dans son droit, elle, de reprendre ses seins, lui, de ne plus les peindre, ils ne se voyaient plus. S'ils se croisaient par hasard dans une galerie d'art ou à un coin de rue, ils s'évitaient et n'échangeaient que le silence de l'amertume. Par crainte de l'amertume, je n'écrirai peut-être pas ce livre dans lequel tu ôtes tes vêtements. Bien qu'il me soit nécessaire. On se trompe parfois sur l'Autre, et l'on peut ne jamais guérir de cette sorte de blessure. Marguerite a raison : c'est une erreur d'amour qui a tué l'Historien.

Je m'étais entendu avec Raoul. Nous allions conduire l'Historien à l'hôpital sans lui demander son avis. Il n'était pas en état de choisir. Il était couché dans son lit depuis deux jours et bougeait la tête seulement pour cracher dans un vase déjà à demi plein de flegme et de sang. Nous l'avons nettoyé et habillé de vêtements propres. Il a résisté quand nous avons voulu lui mettre des chaussures, et nous lui avons laissé ses pantoufles. Le taxi commandé par Raoul nous a conduits à l'entrée de la salle des urgences de l'hôpital de l'université. Il n'y avait pas moyen de passer. Raoul et l'Historien attendaient dans le taxi. Les gens se bousculaient, comme à l'entrée du stade lors d'un grand match de foot. En poussant, j'ai fini par arriver jusqu'au clerc. Dix personnes lui parlaient en même temps. Toutes se disaient mourantes. Et lui leur répondait qu'il était désolé, mais qu'il leur conseillait d'aller mourir ailleurs, la salle ne pouvait plus accueillir de malades. Les internes, le personnel médical dans son ensemble, jusqu'aux nettoyeurs que je voyais laver le carrelage et l'asperger de désinfectant dans un mouvement perpétuel, tout le monde était débordé. J'ai eu recours au passe-droit, me dirigeant sans hésiter vers le médecin le plus âgé présent dans la salle, et je lui ai dit que le professeur Robert Ambroise était en train de mourir, là, dehors, à l'entrée de cette salle des urgences, et qu'on refusait de le laisser entrer. Il a abandonné la plaie qu'il pansait à un jeune interne, et il m'a suivi. Dans le taxi, il a regardé l'Historien comme s'il n'était pas le Robert Ambroise qu'il connaissait. Se résignant enfin à admettre que c'était ce qui restait de l'homme qu'il avait fréquenté et admiré, il a fait des gestes de médecin et conclu qu'il ne pouvait rien faire dans cet hôpital. Il a griffonné quelques mots sur une de ses cartes de visite, et il nous a donné l'adresse d'un hôpital privé. A la clinique privée, nous étions attendus. Le médecin avait appelé. Dans le taxi, l'Historien n'avait pas cessé de cracher et il avait sali ses vêtements. Nous l'avons regardé disparaître, soutenu par deux infirmiers. Un spécialiste, une sommité, s'est dérangé pour nous dire que ce n'était pas la peine d'attendre. Le professeur Ambroise recevait des soins intensifs. Sa condition était grave, presque désespérée. Mais nous ferons tout ce qui est possible. J'ai connu le professeur autrefois. J'ai lu ses travaux. Quel dommage ! Revenez dans l'après-midi. Nous avions préféré attendre sur place. La salle d'attente était propre, aérée, presque agréable. Il y passait des employés en civil qui venaient prendre leur service, et des parents de malades. On lisait les bulletins de santé sur leurs visages. Une famille entière pleurait. Des adultes aux enfants en bas âge. Une personne aimée était morte. Un homme disait à sa femme qu'il convenait d'appeler tout de suite ceux qui se trouvaient à l'étranger. Tout de suite. Avant. Pour faire une entente. Cela sentait la querelle de succession. Une jeune femme souriait d'un sourire d'amoureuse. L'enfant qu'elle tenait par la main souriait lui aussi, par contagion. Un père qui reviendrait vite à la maison… Raoul avait sorti son calepin. Je pouvais voir qu'il avait barré des noms. Sur certaines colonnes, il ne restait qu'un seul nom, il avait barré tous les autres. Nous avons attendu cinq heures au bout desquelles le spécialiste est venu s'asseoir avec nous dans la salle d'attente. La sommité s'avouait vaincue. Il y avait peu de chance. En réalité, il n'y avait aucune chance, c'est la gorge, la gorge et le corps entier, quelques semaines, trois mois, mais nous allons faire en sorte que ça soit sans douleur, comment a-t-il pu souffrir une telle douleur sans appeler à l'aide, quel dommage, l'un des plus beaux fleurons de l'intelligentsia, une incroyable érudition, quel dommage… La langue était ancienne, mais le propos sincère. Le médecin entendait tout faire pour que la fin soit sans douleur, se plaignait, s'excusait encore en se levant pour retourner vers ses autres malades, de ne pouvoir faire plus, et de nous avoir fait attendre. Au fait, ils avaient voulu contacter la femme de Robert, et cela l'avait rendu furieux. Ils avaient eu du mal à le calmer. L'avez-vous prévenue ? Non, il était formel. C'est lui qui va mourir et c'est lui qui paie. Une si belle femme… Dommage. C'était un très beau couple. Toute la ville enviait Robert… A propos, connaissez-vous les coordonnées d'une certaine Marguerite, et pouvez-vous la joindre ? Il dit que sa famille, c'est vous deux, et cette Marguerite. Vous pouvez aller le voir maintenant. Il est conscient. Mais ne restez pas trop longtemps. Et surtout, ne l'encouragez pas à parler.

C'est l'histoire d'un petit garçon qui passa son enfance dans une bibliothèque et tomba amoureux de très belles héroïnes dont les portraits brillaient dans les livres d'histoire. Il avait droit à une promenade dans la rue une fois par semaine. Il consacrait sa permission hebdomadaire à la recherche d'une petite fille dont la beauté serait comparable à celle des reines et des princesses pour lesquelles de grands hommes avaient fait la guerre, volé des toisons d'or, bravé le dieu des morts au fin fond des enfers, érigé face au ciel des jardins suspendus. Il s'arrêtait aux portes des maisons de son quartier pour regarder à l'intérieur. Des mères enseignaient à leurs petites filles l'art de montrer ses avantages et prenaient déjà des placements sur le sacrement du mariage. Mais les petites filles pleuraient, parlaient avec des voix de petites filles qui n'inspiraient pas le respect. Et il manquait à leurs traits la pureté des images. Le petit garçon passa donc son enfance à contempler les femmes des livres. La nuit, dans son sommeil, ses rêves voyageaient vers tous ces beaux visages. Et le matin, à son réveil, il ouvrait ses livres aux mêmes pages et constatait avec plaisir que les belles n'avaient pas bougé, leur beauté éclatait dans la lumière du jour…

Cette histoire-là, l'Etranger la connaissait certainement. Ce n'est pas le couteau qui lui a imposé le
respect. L'Etranger n'était pas homme à prendre la
fuite devant une arme. L'Historien la lui avait forcément racontée. Raoul aussi devait la connaître.
Moi, j'étais né une génération trop tard. Je l'ai entendue dans une chambre d'hôpital, dans la bouche
d'un mourant. Dans un coin, une jeune femme
écoutait aussi. L'homme ne savait pas qu'elle était
là. Il ne pouvait plus tourner la tête pour regarder
à droite, à gauche. Il regardait droit devant lui, je
devrais dire droit derrière. Il avait un ami. Il n'y a
pas de vrai conte sans une paire d'amis. Un conte
commence toujours par des inséparables.

… *Le petit garçon avait rencontré à l'école un autre petit garçon qui devint son ami. Ils formaient un ensemble, comme pour vérifier l'unité des contraires. Les jours de permission, l'ami entraînait le petit garçon dans des quartiers différents du leur, dans les villes cachées dans la ville. L'ami aimait ces quartiers-là. Plus l'ami grandissait, plus il aimait l'odeur vivante de ces quartiers-là. Le petit garçon devenait lui aussi un jeune homme et continuait sa recherche de la jeune fille qui serait plus belle que les images de ses livres d'enfance…*

L'Etranger aurait pu la conter. Une histoire banale et singulière comme le sont toutes les histoires. Banale pour qui regarde. Unique pour qui les vit. Toutes les histoires d'amour se prennent pour une autre. Un homme avait cherché une image. Il l'avait trouvée. Dans un cocktail. Les images, parfois, s'enlaidissent, lorsque soudainement elles se mettent à bouger et tournent à leur contraire. N'importe quel conteur le sait. Dans un bois marchent deux petites filles. Arrivées au bord de la rivière, elles voient deux créatures très différentes l'une de l'autre. Une très belle femme, assise les pieds dans l'eau, avec de beaux cheveux et la voix mélodieuse. Une vieille, recroquevillée, sale, le dos couvert d'escarres et de pustules. Chacune tient un peigne. Aide-moi à me coiffer, dit la belle femme. Aide-moi à me frotter le dos, dit la vieille. La plus naïve des petites filles s'éloigne, horrifiée, de la vieille, et se met à coiffer les cheveux de la belle femme en se laissant bercer par la douceur du chant. L'autre décide d'aider la vieille. Les deux petites aussi sont très différentes l'une de l'autre. L'une est coquette, l'autre serviable. En général, les enfants sont intelligents et devinent le piège. Ils savent qu'il faut choisir la vieille. Que les cheveux de la belle femme vont se transformer en serpents. Que les plaies de la vieille sont des pépites d'or. Mais l'homme qui raconte son histoire n'a pas appris ces choses-là. Comme dit le poète : "Il a usé sa vie au danger des images." Et ce n'est pas la femme qu'il a aimée, c'est sa beauté. Son ami le lui avait dit : "Au fond, tu ne la respectes pas. Isabelle, pour toi – cette fois-là, il n'avait pas dit l'Autre – c'est pas une femme avec des qualités et des défauts. Tu ne l'aides pas. Elle ne t'aide pas. Son mari avait raison. Ce n'est pas la femme qu'il a épousée, c'est sa beauté. Et, plus tard, quand il lui mettra les mains autour du cou, ce n'est pas la femme qu'il ne parviendra pas étrangler. La femme, elle est déjà morte. Elle n'a même jamais existé.

… Quand le petit garçon devient un vrai jeune homme en âge de faire des propositions, il visite l'image tous les jours, chez elle, avec l'accord de leurs parents, et quand il se sent prêt à faire des propositions, il demande l'image en mariage. Il possède quelques biens, dont une petite maison à la campagne. Cette petite maison, peu de gens connaissent son existence. Il y allait souvent dans son enfance. Il y est allé encore récemment avec son meilleur ami. C'est une maison éloignée de tout. On n'y entend ni les cris des marchands ni les pétarades des pots d'échappement, ni l'écho des querelles qui rendent les gens tristes. Ils passeront là leurs vacances. Et si l'image le permet, le jeune homme y invitera son meilleur ami pour retourner dans leur enfance et parler des choses de la vie…

"Personne ne connaissait l'existence de la maison. Personne." L'homme parvient à crier même s'il faut beaucoup d'efforts pour entendre son cri. Ce n'est pas le volume qui fait le cri mais l'intensité. C'est un râle qui a la force et la douleur d'un cri. L'homme a maigri, il ne reste presque plus de chair sous sa peau. On l'a toujours cru faible, mais rarement un homme aura-t-il supporté pareille souffrance. Ses médecins disent qu'ils ne comprennent pas, la douleur devait être atroce, comment a-t-il pu vivre avec cette plaie dans la gorge sans appeler au secours. Tout le temps qu'il écoutait les histoires de l'Etranger, tout le temps qu'il lisait mes mauvais poèmes, il devait la cacher en lui-même. Mais la douleur est double, et l'homme qui crie sur son lit d'hôpital en s'arrêtant de temps en temps pour cracher et retrouver un semblant de respiration a joué une douleur contre une autre.

… Le soir des noces, quand le jeune homme eut enlevé les vêtements de l'image, il obtint confirmation que, des pieds à la tête, elle était vraiment ce que la nature avait fait de plus beau. Il avait perdu la nostalgie des reines. Il avait trouvé leur égale. Dans la chambre, elle l'avait laissé faire tout ce qu'il voulait, indifférente comme peuvent l'être les souveraines…

"Elle n'a jamais aimé l'amour. Quand j'ai su ce qu'elle avait fait, j'ai voulu lui faire mal, les venger, l'humilier avec des mots. Jamais tu n'as aimé l'amour. Si tu avais été humaine, tu aurais essayé avec un autre homme, ou avec une bête, pour savoir." La voix faible de l'homme rejoue la scène. Et on entend l'image répondre qu'elle a toujours fait son devoir d'épouse. Tout ce qu'elle a fait, dans le lit ou ailleurs, c'est dans l'intérêt de notre couple, de notre famille, de notre enfant. Et l'homme continue de jouer la scène. Il crie : Ne mêle pas la gamine à ça. Il ne sait pas que ses cris ont réveillé la gamine, qu'elle est terrifiée. Bouleversée, de l'entendre crier. C'est la première fois. Elle ne l'a jamais entendu crier. Quand maman a décidé de renvoyer le jardinier parce qu'il était trop bien vêtu pour le travail qu'il faisait et qu'un visiteur aurait pu se tromper et le prendre pour un membre de la famille, la gamine avait appelé son père à l'aide. Elle aimait bien le jardinier qui lui disait le nom des fleurs. L'homme n'était pas content, lui aussi aimait bien le jardinier, mais il n'avait pas crié. Quand maman lui disait que le complet qu'il portait ne convenait pas, il montait se changer, mais ne criait pas. L'homme crie enfin. Tous ses cris contenus s'engouffrent dans sa gorge pourrie. L'homme continue de jouer la scène sans savoir que la gamine le regarde, l'entend, a peur, deux fois plutôt qu'une. La première sans comprendre, au moment où, cachée au sommet de l'escalier, elle voit l'homme renverser l'image sur la table et serrer ses doigts autour de son cou. La deuxième, en ce moment même alors que l'homme épuise ses dernières forces à jouer la scène. Mais ce n'est pas la même peur. Aujourd'hui elle a peur pour lui. Si seulement il avait appris à se mettre en colère. L'homme est en colère. La colère l'étouffe, littéralement. Il tousse. C'est une toux irréparable. Il veut parler malgré la toux. Mais il n'y arrive pas. Il veut finir la scène, aller au bout de son récit. Il sait que sa voix est en train de mourir. Il veut parler. La voix lâche. Il tousse. Il tousse. Il tousse. Sa toux est sortie de la chambre. Sa toux traverse le couloir. Les infirmières se précipitent à son secours.

... C'était le règne d'un tyran. L'ami du jeune homme souffrait d'une noble maladie : l'impatience des chevaliers. C'était un anti-prince ayant formé une bande de manants et de gueux pour guerroyer contre les puissants. Le tyran tint conseil, et, sur proposition des armateurs et des rentiers, il donna ordre à son armée d'alimenter les fosses communes...

Le spécialiste a insisté, il ne faut plus parler. Restez calme. Essayez de vous reposer. Mais, la crise passée, l'homme veut finir son récit. Pour lui-même. En ce temps-là, il contemplait l'image. Il savait que des gens disparaissaient, que dans certaines villes des familles entières avaient disparu. Mais cela entrait par une oreille et sortait par l'autre. Il était perdu dans ses recherches, et le soir il rentrait chez lui et contemplait l'image un moment puis allait s'enfermer dans sa bibliothèque. Il ne prenait plus plaisir à faire l'amour avec elle. Elle ne bougeait jamais. Souvent, elle semblait avoir la tête ailleurs, sans pour autant montrer le moindre déplaisir. C'était une image consciencieuse qui répondait toujours à l'appel du devoir. Il n'avait jamais pris la peine de discuter avec elle des choses de la vie. Il se le reprochait. Elle l'avait abandonné à sa bibliothèque. Il l'avait abandonnée aux autres images qu'elle fréquentait. Elle fréquentait d'autres images, moins belles, mais tout aussi glacées, qui formaient une ligue de dames de haute vertu. Pour les choses du corps, l'homme cessa très vite d'importuner l'image et fréquenta des étudiantes. Quelquefois, il accompagnait encore son ami au Portail Léogâne. L'ami venait rarement chez lui. Un soir, il était tard. L'ami a frappé. Je lui ai ouvert. Il m'a dit de ne pas m'inquiéter.

Personne ne l'avait suivi. L'Autre, elle était dans la chambre. J'ai reçu Jacques dans la bibliothèque. Je lui ai donné la clé de la maison. Personne d'autre ne savait. Il a ri en constatant que j'avais conservé les vieux livres de mon enfance. Il m'a dit en partant que j'avais le bonjour de Marguerite. Tu sais, Marguerite aussi, elle est très belle. C'est la dernière fois que je l'ai vu. Après, j'ai su qu'ils l'avaient torturé, qu'ils avaient simulé de fausses exécutions, pour rire, avant de le tuer pour de vrai. J'ai su aussi pour Marguerite. Les viols, les coups, les pinces. Des années plus tard, la petite allait sur ses cinq ans, au gala du cercle militaire, un officier m'a demandé l'autorisation de danser avec votre épouse, la meilleure épouse qui soit. Elle vous a sauvé la vie. Nous connaissions vos relations avec… Nous savions aussi que vous ne vous mêliez pas de politique. De mauvaises fréquentations, sans plus. C'est ce qu'elle nous a expliqué. Des amis de Jacques, surtout, y compris cette marchande… Et la maison… Au fait, maintenant que vous ne courez plus aucun risque, y a-t-il pris refuge de sa propre initiative, comme votre femme nous l'a juré, ou aviez-vous couru le risque de le cacher ? Nos hommes vous ont longtemps suivi. Vous ne semblez pas être le genre d'homme capable de prendre de tels risques.

Dans la voiture, je n'ai rien dit. Jacques avait passé une nuit avec Marguerite. Ils avaient marché dans la nuit. Et puis ils avaient fait l'amour. Dans un dépôt. Sur un matelas, à même le sol. Entourés de tonnes de marchandises. J'aurais tout donné pour une nuit comme ça. Une nuit, pour moi. Une autre vie, pour lui. Pour que Jacques soit encore là. Que nous puissions tous les deux épouser Marguerite. Tout ? Je n'avais rien. Une fille que l'image transformait en image. C'est pour ma fille que j'ai voulu la tuer. Pour le mensonge. Pour m'être trompé de mère. Pour n'avoir pas aimé ce qui était aimable. Pour les guitares du Portail. Pour les facteurs de guitare qui avaient appris sur le tas, en commençant par le fer-blanc. Pour leur passage au bois. Pour les vieilles cordes métalliques qui donnaient quand même de la musique. Pour le rire de Jacques. Le corps de Marguerite que je n'osais pas regarder. Son rire, quand elle nous jugeait compliqués, nous les messieurs de l'université. L'amour, c'est simple. Je peux vous aimer tous les deux. Pas tout le temps. Mais le temps qu'il faut. Pour la simplicité du bonheur, quand on regarde après. Trop tard. Pour le bonheur des Amoureuses, dans la paix retrouvée après une belle querelle. Pour le coup gratuit aux clients. Au nom de l'amour. Ce coup, je ne l'ai pas pris. Jacques l'avait bu, avec Marguerite. Moi je contribuais au malheur. J'aidais dans sa laideur une beauté gaspillée. Moi, j'étais mort. Ce soir-là j'ai voulu la tuer pour avoir tué la vie. Mais elle ne l'avait pas fait seule. J'étais son complice. Je voulais la tuer pour nos corps tristes et le cadavre de Jacques dans une fosse commune. C'est pas la force qui m'a manqué. Je te le jure, elle était morte. J'ai vu la gamine qui me regardait. Aussi belle que sa mère. Terrifiée, mais si belle. Je me suis dit que la nature ne pouvait pas commettre deux fois de suite la même erreur. L'histoire, je suis payé pour le savoir, n'est pas, comme pensent les imbéciles, un perpétuel recommencement. Et je suis parti. J'aurais dû emmener la gamine avec moi. La sauver. Nous aurions marché dans la nuit. Nous aurions parlé des étoiles, de Jacques. Je lui aurais parlé de Jacques, de ses idées folles. De la dernière fois que je l'ai vu. De son dernier sourire. De cette façon désinvolte d'aller à la mort en marchant dans son rêve.

De la guitare du vieux troubadour édenté qu'il empruntait pour jouer un air avec le groupe. J'aurais dû emmener la gamine. La sortir du froid. Marguerite lui aurait enseigné comment aimer. Comment se défendre. Comment enlever tes chaussures si tu as mal aux pieds. Comment les pieds, c'est fait pour marcher. Elle aurait appris la musique des guitaristes du Portail. Cette étrange musique, triste et gaie en même temps, l'espérance cachée sous la mélancolie, et la mélancolie qui pleure sous l'espérance. Elle aurait appris comment faire des notes avec rien et comment faire une vie avec très peu de choses. Elle aurait eu les yeux de l'Etranger, pour regarder le monde. Les yeux des joueurs de dés pour lesquels chaque nombre devient une métaphore : trente-deux, une lune, soixante-treize, un baiser. J'aurais dû l'emmener avec moi. Marguerite l'aurait engueulée, sans méchanceté, juste ce qu'il faut, pour qu'elle soit pas pourrie. Et elle aurait appris des filles qu'une femme qui gagne sa vie est une femme respectable. Elle aurait ri. Avec l'Autre, on ne riait jamais. On ne chantait pas. C'est triste d'avoir une fille et de ne pas savoir si elle chante…

Raoul n'est entré qu'une fois dans la chambre de grand malade qu'occupait l'Historien. Il supportait plus facilement les morts que les mourants. C'est une douleur atroce de regarder quelqu'un mourir. Surtout si ça dure. Pendant des mois, l'Historien n'en finissait pas de mourir. Cela le gênait de prendre encore sur notre temps, de profiter de notre affection. Il ne m'a pas laissé les notes qu'il avait prises dans sa tête. Il n'a pas écrit cette histoire du Portail qui devait être son grand œuvre. Il n'a pas comblé l'attente de Marguerite. L'Historien est mort sans avoir satisfait personne. C'est moi qui suis allé annoncer la nouvelle à Marguerite. La fille de l'Historien souhaitait sa présence. Marguerite n'avait pas pu. "Dites-lui, monsieur… Je ne viendrai pas, à cause des chaussures, et j'aime pas les robes noires. Dites-lui aussi que je suis contente qu'elle ait enfin connu son père, même si ça vient après la mort."

Il n'y a pas d'Autre dans ma vie. N'ayant rien agrippé, je ne sais à côté de quoi je suis passé en voulant saisir autre chose. J'aimerais te prendre la main. Pour savoir. Si tu as la main froide, qu'adviendra-t-il de moi, de nous, de tout, si je la garde ?

La fille de l'Historien m'a souvent suggéré d'écrire un roman dont l'intrigue se déroulerait au Portail. Une merveilleuse histoire d'amour. Sans savoir que son père aussi me l'avait demandé. J'y pense aujourd'hui. La littérature, dans sa folie, peut-elle remplir le vide que laissent parfois les sciences humaines ? Un roman du Portail. Ce n'est pas une mauvaise idée. A la mémoire de l'Historien. Pour sa fille. Pour Marguerite. Pour toi.

J'ai osé te parler. Juste bonjour. Et, un café à la pause, demain ? Oui, un café. Peut-être n'est-ce qu'une illusion, tu n'as pas la voix d'une image. Si je t'aime, s'il y a une espérance cachée dans le café, d'autres mots, d'autres gestes, il faut qu'on laisse la porte ouverte.

Que tu viennes au Portail. Et que tu m'introduises à tous tes quartiers libres. Que tu me bouscules et que je te bouscule.

Vers la vie.

RAOUL

Lapli pap janm sispann tonbe
Lèzòm a va toujou reve...

MANNO CHARLEMAGNE

Alertée par le vacarme des bêtes, madame Almira enfonça ses doigts dans la brume pour toucher l'air et leva la tête pour chercher l'aube dans le ciel. Les nuages enveloppaient le toit, descendaient jusqu'à terre. Il n'y avait rien à voir qu'un torrent suspendu, en attente. Une mer allait tomber. Madame Almira constata la perte des quatre horizons et s'en remit, par habitude, à l'Eternel, son berger. Puis, faisant un épouvantail de ses bras, elle força les poules et la chèvre à l'intérieur de la maison. Elle alluma ensuite une chandelle, installa sa chaise devant la grande cruche et attendit, le regard plongé dans l'eau claire. Elle passa ainsi sa journée sans se laisser distraire par les échos du déluge. Dans la soirée, le village entier, les notables en tête, se présenta devant sa porte pour lui faire le récit des événements. Elle embrassa l'inconnu comme si elle le connaissait depuis longtemps, remercia le village, mais interdit d'une voix ferme, à quiconque, pleureuse ou serviteur de culte, d'organiser des cérémonies de deuil. La cruche avait parlé : Andrémise était devenue la fille de l'eau. Personne ne devait la pleurer. Seule l'eau peut raconter les mystères de l'eau. L'eau lui avait ouvert le chemin de la vision : "J'ai vu dans le miroir de l'eau les choses que vous n'avez pas vues. J'ai entendu la voix de l'eau. Andrémise, désormais, ouvrira les passages, il ne

faut pas pleurer." Le village était du même avis.
Malgré tous ses efforts, l'inconnu n'était pas par-
venu à ramener Andrémise, les esprits de l'eau
avaient gardé la jeune fille, ils avaient décidé de lui
confier une mission. Madame Almira ne répondit
pas aux commentaires, renvoya le village et offrit à
l'inconnu l'hospitalité pour la nuit. Elle fut frappée
par l'épaisseur des mains de son hôte. L'homme
n'était pas chétif, mais les mains plus costaudes que
le reste du corps donnaient l'illusion de pouvoir tout
étreindre. L'illusion seulement, puisqu'elles n'avaient
pas pu ramener Andrémise. Madame Almira avait
la certitude que ce n'était pas faute d'avoir essayé.
Cet homme-là devait aller au bout de ses engage-
ments. Il avait longtemps refusé de prendre la corde
que lui lançaient les gens du village. Il était allé jus-
qu'au bout de ses forces pour sauver Andrémise.
Mais l'eau est plus forte que l'homme. Andrémise
était morte. Madame Almira n'en doutait point, elle
refusait simplement de partager cette vérité avec les
autres. Lorsqu'elle crut l'inconnu endormi, elle
s'installa de nouveau sur sa chaise et pleura toutes
ses larmes. Quand elle n'eut plus de larmes, elle se
leva, jeta un coup d'œil dans la pièce du fond pour
s'assurer que l'homme dormait et ne pouvait la voir,
retourna vers la cruche, ramassa sa salive et cracha
dans l'eau claire. L'homme ne dormait pas. L'image
de la noyée le tourmentait encore. Il l'avait regar-
dée mourir sans pouvoir la sauver. Au fond de
l'eau, il avait vu des cadavres d'animaux, des sacs
de provisions alimentaires, des bagages de passagers,
mais pas le moindre "esprit". Son travail le faisait
voyager à travers le pays, jamais il n'avait croisé un
esprit errant ni assisté au moindre miracle. Il fallait
remplacer les pistes par de vraies routes et bâtir de
vrais ponts au-dessus des rivières. Il était fatigué, et
s'endormit, nourri par ces vérités simples.

Pourtant, le lendemain matin, quand madame Almira invita les gens du village à se rapprocher pour écouter les conseils des esprits de l'eau dont sa fille était devenue la messagère, le regard implorant, elle prit l'inconnu à témoin et il la laissa faire. Elle lui avait demandé de s'asseoir à côté d'elle devant la cruche. Andrémise parlait du fond de l'eau. La voyait-il ? Oui, il la voyait. L'entendait-il ? Oui, il l'entendait. Andrémise, messagère des dieux, distribuait des conseils aux vieux et aux enfants. Porte-voix de la messagère, madame Almira assurait le relais. Gêné, timide, l'inconnu se contentait d'approuver. L'eau était claire, il n'y voyait même plus l'épaisseur du crachat. Chacun son tour, les gens du village recevaient les instructions des esprits et remerciaient : merci Andrémise, merci madame Almira, merci monsieur. Madame Almira disait : "Andrémise, c'est Marilisse, que vois-tu pour elle ? Andrémise, c'est Marcello, que vois-tu pour lui ?" Andrémise avait une parole pour chacun. Arriva en titubant un géant qui voulait, par provocation, qu'on lui lise le message des esprits. Les gens s'écartaient pour le laisser entrer. Un vieux sage, se tenant à bonne distance du soûlard belliqueux, lui cria que les esprits ne parleraient pas à un ivrogne qui tapait sur sa femme. Le colosse parvint à traverser la foule et demanda, moqueur, à entendre les paroles des esprits. Décontenancée par la violence et l'ironie du ton, madame Almira réfléchit quelques secondes, cherchant des mots et des images capables de sauver le mythe. L'ivrogne allait tout détruire. L'inconnu baissa alors les yeux vers l'eau claire de la cruche, décida de voir et d'entendre, lut les paroles de l'eau et les répéta pour la foule. Les esprits décrétaient par la voix d'Andrémise que l'époux qui tape sur sa femme la perdra, qu'il se fera des ennemis de tous *les habitants du village qui le chasseront un jour, qu'en signe d'avertissement sa légendaire force physique allait le quitter. Les esprits lui conseillaient la sagesse et la retenue. Le villageois, loin d'être impressionné, avança d'un pas, accusa l'inconnu de n'être qu'un faux héros, traita madame Almira de vieille folle et voulut renverser la cruche d'un coup de pied. L'inconnu saisit alors dans ses mains les poignets du belligérant. Ils luttèrent ainsi quelques secondes. Le paysan était plus grand que l'inconnu, mais il ne parvenait pas à desserrer l'étreinte. Il plia les genoux, sa force brisée. Le maintenant agenouillé, l'inconnu traîna l'homme aux poignets meurtris devant la cruche et redit les paroles de l'eau en ordonnant à son prisonnier de les répéter. Madame Almira regardait sans sourire. Vaincu, le paysan répéta les paroles sans y croire, trop vite, de mauvaise grâce. L'inconnu lui dit que le ton n'y était pas et l'obligea à recommencer. Le colosse resta les genoux en terre même après que l'inconnu lui eut libéré les poignets. Le vieux sage l'aida à se relever et lui rappela qu'il n'était jamais intelligent de braver les esprits. Après l'incident, l'inconnu annonça qu'il était temps pour lui de partir, son travail l'appelait. Madame Almira approuvait. Andrémise était fatiguée, la séance était terminée, il convenait d'accompagner l'inconnu à la gare. A l'heure du départ, madame Almira prit les grandes mains de l'inconnu dans ses vieilles mains ridées et le remercia deux fois. Un premier merci que tout le village entendit, pour saluer l'effort et la prise de risque. Un deuxième que personne d'autre n'entendit, une alliance entre eux deux, scellée par le murmure. Sur la route, les gens du village continuaient de parler des événements, de l'inondation, des mystères de la nature auxquels reste soumise la condition humaine. L'inconnu était pressé de retrouver* la route. Les gestes routiniers de l'installation des infrastructures de base commençaient à lui manquer. Il n'écoutait plus les voix de ses admirateurs qui le présentaient aux passants, racontaient mille fois comment il avait tout fait pour sauver Andrémise, et concluaient que les esprits de l'eau avaient récompensé son courage en lui accordant à lui aussi le don de la vision. Il avait accompagné Andrémise jusque dans les profondeurs et l'avait vue disparaître. Il était normal qu'elle lui parlât. Les villageois le conduisirent au camion et lui recommandèrent une dernière fois de cultiver le don. Il promit, pour leur faire plaisir, d'appeler la messagère à la rescousse des vivants sollicitant les conseils des esprits et des morts. Dans le camion, il regarda d'abord ses pieds. Ses chaussures étaient couvertes de boue. L'eau n'avait pas abdiqué. Elle mettrait longtemps à sécher. Puis il regarda ses mains. Dans son enfance, ses camarades de l'école presbytérale se moquaient de lui. La maîtresse utilisait une planche pour les leçons de choses. Il y avait les photos de toutes sortes d'animaux. Les autres élèves trouvaient que ses mains étaient semblables à celles du singe. La leçon de choses devenait un véritable tourment. Tout le monde l'appelait "le singe". Un jour, au beau milieu de la leçon, il avait enfermé dans ses mains de singe la tête du plus costaud de la classe et il avait serré très fort. Si fort que quand le directeur était parvenu à desserrer l'étau le garçon ne respirait plus. Il avait fallu dix minutes pour le ranimer. Plus personne ne lui avait jamais donné de sobriquet. Oui, elles étaient grandes, pourtant les mains frêles de la noyée leur avaient échappé dans la rivière. Il se consola en se disant qu'on fait ce qu'on peut, et ne pensa plus qu'à la route. Mais partout où il se rendit, sa légende le précéda. Il y eut toujours quelqu'un ayant préparé les accessoires, la *chaise, la cruche d'eau fraîche et la chandelle. Quelqu'un qui lui disait : "Monsieur, nous savons ce que vous avez fait. Nous savons que la messagère des esprits de l'eau parle par votre bouche. Que nous disent nos proches ?" Durant toute sa carrière de modeste employé de la fonction publique, il évita de faire appel à la messagère des esprits de l'eau. C'était un homme simple et peu bavard qui avait du mal à mentir. Un jour, alors qu'il se sentait encore capable de travailler, ses chefs lui donnèrent une médaille et un certificat honorant son mérite. Ses collègues lui donnèrent l'accolade, et il rentra chez lui. La maison était grande. Il y vivait seul. Il décida de prendre logement dans un espace plus petit. Un homme seul n'a pas besoin d'une grande surface. Il prit aussi l'habitude d'aller visiter ses amis dans les cimetières. Leurs veuves, leurs enfants connaissaient la légende et voulaient parler à leurs morts. Il avait vite compris que ce n'était pas la peine de dire la vérité. Madame Almira avait pleuré toute la nuit. Et, au matin, il n'y avait dans la cruche qu'un peu d'eau et la salive d'une vieille femme. Mais personne ne désirait entendre cela. Il avait donc décidé de rapporter aux vivants les paroles des morts. Il suffisait d'une cruche, d'un peu d'eau fraîche et de bon sens. Il n'avait vu la jeune fille qu'une seule fois, dans le camion, puis dans l'eau. Il se souvenait qu'elle était belle, contente de retourner dans son village pour annoncer à sa mère qu'elle avait un bel amoureux et qu'elle était heureuse. Il n'avait pas pu la sauver. Il n'avait pas pu l'oublier. La crédulité des humains, tous les hommes sont des villageois, avait offert la solution pour la garder en vie.*

J'écris très vite. Le temps joue contre les mots. Le colloque tourne à sa fin. Quelques auteurs et spécialistes de telle période ou tendance sont déjà partis, appelés ailleurs. Celles et ceux qui souhaitent correspondre ou se revoir, pour des raisons professionnelles ou de sympathie, ont déjà échangé leurs adresses et leurs téléphones. La salle de conférence se vide. Les femmes ont remplacé leurs vêtements sévères des séances de travail par des robes plus légères. Nous avons eu droit à une visite organisée des monuments historiques et des boutiques d'artisanat. Je n'aime pas ces sorties de groupe avec leur parcours fixé à l'avance et l'obligation de bonheur qui est faite aux visages. Le professeur entreprenant a pris beaucoup de photos. S'il a des enfants, il leur rapportera des bribes de paysage et une pièce bon marché d'artisanat local. Dans dix ans, il aura oublié les théories qu'il avait développées au colloque. Il lui restera ces photos qui n'auront plus aucun sens, n'évoqueront pas de vrais souvenirs. Sauf, peut-être, celle où l'on voit ton visage. J'espère pour lui qu'il gardera son rêve de toi. Je n'ai pas gardé beaucoup de rêves, et je souffre quelquefois de cette pauvreté. Je n'ai pas de visages servant de repères à mes désirs. Je ne peux pas te dire avec quelle femme j'avais envie de faire l'amour en telle année, dans quelle mer j'aurais aimé me baigner en tel été. Pour alimenter la conversation, ce n'est pas tant le passage des choses qui compte, mais le souvenir de ce que, échecs ou réussites, elles représentaient. Raoul. Je ne t'ai pas parlé de Raoul. Ou si peu. Peut-être parce qu'il était le moins académique des Aînés, le plus éloigné de ce monde des livres que j'habite depuis longtemps, tantôt comme un asile, tantôt comme une prison. J'ai du mal à parler de Raoul. Ses voyages aux quatre coins du pays lui donnaient un faux air de province, de campagne. Je n'ai jamais été un fanatique de la vie rustique. Je préfère la musique des boîtes de nuit à celle des cigales. J'aime les capitales, j'y vois déambuler des désespoirs nocturnes. Aimerai-je un jour les plantes, le silence ? Ce que tu aimes ? J'ai envie de répondre oui. Mais comment savoir ? Il se peut que tu n'aimes rien. L'Historien devait se croire capable d'approuver les désirs de l'Autre. Avant. L'Etranger s'inventait des mondes et les peuplait de belles amoureuses. Raoul était le seul à avoir fréquenté des femmes pendant longtemps. Quand on aime, on aime tout ce qui vient avec l'amour. J'ai lu ça dans un roman. Le temps que ça dure. Pour Raoul, ça ne durait jamais longtemps. Il passait d'une ville à l'autre, ne demandait rien, ne promettait rien. Aucune femme ne lui avait laissé le temps de devenir une habitude. Et lorsque ses chefs l'avaient forcé à la retraite, il avait cessé de s'intéresser aux femmes, comme si son énergie sexuelle et les joies de l'étreinte s'étaient nourries de son emploi. A la pension, il était le moins bavard des Aînés et, quand il parlait, il n'allait pas chercher ses mots très loin. C'était un homme de gestes. Il savait nager sous l'eau, démonter un transistor et le réparer, faire plier les genoux d'un macho qui tapait sur une femme, faire jouir les femmes, mais se méfiait des abstractions et ne donnait jamais que des conseils pratiques. Un jour, il avait acheté de la peinture et avait pris sur lui de repeindre la façade de la pension. Craignant de tacher son manteau, l'Etranger n'avait pas offert son aide. Le monde était plein de couleurs, il suffisait d'aller ailleurs. L'Historien ne touchait que ses livres, sa bouteille et les objets usuels de la vie quotidienne. Et le couteau, pour jouer, quand il était très jeune. Dans leur adolescence, Jacques l'avait initié au lancement du couteau. Ils allaient s'entraîner en prenant pour cible les arbres du jardin de la petite maison… Il y avait beaucoup d'arbres autour de la maison… L'Historien ne visait pas mal, il s'en était souvenu le soir où l'Etranger avait insulté Marguerite. Mais il ne savait pas peindre. Raoul avait repeint la façade. Seul. J'avais souhaité l'aider. Sans sourire, il m'avait regardé me salir les doigts et la chemise, puis il m'avait dit que, seul, il finirait plus vite. Raoul était un homme d'action. Moi, j'ai du mal à poser des actes. Hier, au bar, on riait d'un spécialiste du XVIIIᵉ siècle parti s'encanailler dans les quartiers populaires. Fier et ivre, il était revenu de son escapade avec des statuettes en plâtre fabriquées en série par des ouvriers clandestins dans un hangar. Il les avait prises pour des pièces authentiques, vieilles de deux cents ans. Agir nous livre aux erreurs et aux rires. Même écrire peut être dangereux. L'Etranger avait rapporté d'un quartier retiré d'une quelconque grande ville l'histoire d'un vieil homme qui avait passé sa vieillesse à écrire des lettres d'amour à une jeune fille habitant l'autre côté de sa rue. Il s'asseyait sous sa galerie dans la senteur du basilic (il arrosait luimême ses plantes et leur parlait le soir avant de se coucher) pour observer les passants. La plupart des passants étaient des gens très ordinaires. Il n'éprouvait pas vraiment le besoin de les connaître, de dialoguer avec eux. Pendant trente ans, il avait gagné sa vie en se cachant derrière un micro. Il avait eu un petit public et peu d'amis. Pendant trente ans, il avait fait rire des anonymes, il désirait désormais parler face à face, s'adresser à une vraie personne qui prendrait le thé avec lui l'après-midi, discuterait avec lui des choses de la vie. Il avait vu grandir la petite fille. Elle avait d'abord été une gamine boudeuse avec des parents très sévères. Puis elle était devenue une adolescente un peu trop sérieuse pour son âge, marchant toujours très vite et regardant droit devant elle pour ne pas croiser le regard des voyous. Elle était en train de se transformer en la plus belle des jeunes femmes du quartier. Le vieil homme n'était pas le seul à la regarder, mais il était vieux, il lui restait peu de temps pour dire les choses et les penser. Il ressentait en la voyant l'urgence de communiquer. Il en oubliait de parler à ses plantes. Il avait trouvé la personne pour partager son rêve d'un parler à deux voix. Il s'était mis à lui écrire en se disant que les lettres ne présentaient pour elle aucun danger. Il n'avait jamais écrit à qui que ce soit auparavant, et, devant la nouveauté de l'expérience, dans un élan de néophyte, il mettait tout son cœur dans sa littérature. Toutes ces pages sur le théâtre comique, la radio avant l'invention du transistor, l'arôme des plantes intérieures, le désordre amoureux, le troisième âge et la jeunesse inquiétaient la jeune fille et lui semblaient cacher une intention diabolique, quelque chose de pas sain. Le vieil homme n'avait pas l'habitude d'écrire des lettres, elle n'avait pas l'habitude d'en recevoir. Elle étouffait sous cette mer de mots. Elle ne lisait pas les lettres, mais de savoir qu'elles existaient et que tout cela s'adressait à elle sans être justifié par une science comptable, elle était terrifiée par le flux. Autrefois, dans les sociétés organisées, on savait le danger caché dans les écrits, on enchaînait les plus malsains et on les mettait dans des cages. Elle aurait fait pareil. Mais elle ne disposait ni de l'espace ni des accessoires. Elle se contentait de jeter les lettres dans des boîtes qui avaient contenu les pâtes et les conserves que ses parents achetaient en gros au bazar du quartier. Elle suivait des cours dans une école de secrétariat, dans deux ans elle aurait fini. Elle était fiancée et épouserait son fiancé trois jours après l'obtention de son diplôme. Ils habiteraient dans un premier temps la maison de ses parents. Puis il y aurait un deuxième temps et un premier enfant, un troisième temps avec d'autres enfants et un déménagement. Elle avait arrêté ses plans, son horaire, et elle n'aimait pas les vieux, à part ses parents parce qu'ils l'encourageaient dans ses projets. Dès la première lettre, elle s'en était plainte à son père. Ses parents avaient une piètre idée du vieil homme. Selon le père, il n'avait jamais vraiment travaillé, on peut difficilement considérer le fait de raconter des histoires sans queue ni tête comme un vrai métier ou un emploi respectable. La mère se souvenait d'une vague affaire de fiançailles rompues. Quand les lettres commencèrent à pleuvoir à un rythme accéléré, la jeune fille en parla de nouveau à ses parents qui en parlèrent à leurs alliés. Elle en parla aussi à son fiancé. Son fiancé en parla aux autres fiancés de la rue. Tous avaient jugé que ce n'était "pas sain". La jeune fille adressa un billet très sec au vieillard, confirmant le jugement collectif et le sien propre : "Arrêtez, ce n'est pas sain." L'adjectif, plus qu'autre chose, avait affecté le vieil homme. Son métier était de faire rire. Pendant trente ans, il avait

travaillé comme comique pour d'obscures stations
de radio. Il trouvait sain de faire rire les gens, en
tout cas d'essayer. Et tout ce qu'il demandait à la
jeune fille, c'était la chance de la faire rire, puisqu'il avait depuis longtemps passé l'âge de la
sexualité. Il s'assit sous sa galerie et, inspiré par la
senteur du basilic, il lui écrivit une lettre pour lui
expliquer cela. Dans la soirée, il fut étonné de
l'entendre frapper à sa porte. Ses plantes sentaient
bon pour accueillir la visiteuse. Il croyait qu'elle
était venue pour qu'il la fasse rire. Des enfants le
visitaient parfois, soit de leur propre initiative, soit
pour un devoir de mémoire imposé par un professeur. Il en venait aussi auxquels leurs parents et
d'autres personnes âgées avaient parlé en bien du
vieux monsieur qui passait ses après-midi à tuer le
temps sous sa galerie, dans la senteur du basilic.
Un petit groupe d'admirateurs se souvenaient de
ses quelques blagues à succès. Des gens qui
l'avaient écouté à un moment difficile de leur vie :
une période de vaches maigres, la fin d'un grand
amour, la perte d'un être cher. Une de ses blagues
les avait détournés de leur tristesse. Grâce à lui,
un sourire s'ajoutait au souvenir des heures dures,
et ces gens pouvaient dire que le malheur n'était
pas venu seul. Des personnes qu'il n'avait jamais
vues auparavant venaient parfois s'asseoir avec lui
sous la galerie, pour parler du passé et lui dire
leur reconnaissance. Mais la jeune fille n'était pas
venue pour rire, et elle ne savait pas encore ce
que c'est que le passé. Elle était venue, accompa-
gnée de ses parents et de son fiancé, pour parler
de vive voix, brandir sa destinée et libérer sa boîte
aux lettres : "Arrêtez, c'est malsain." Au départ des
justes, le vieillard referma sa porte, s'adressa à ses
plantes d'un ton désespéré et pensa à jeter plume,
papier et encrier à la poubelle. Mais il restait des

lettres au bout de ses doigts, il continua d'en écrire à la jeune fille, mais cessa de les lui envoyer. La vieillesse n'étant pas plus éternelle que la jeunesse, il finit par mourir, et l'on trouva dans le tiroir de sa table d'écriture des centaines de lettres. Faisant figure d'exécuteur testamentaire, le petit groupe d'admirateurs accrochés au souvenir de ses heures de gloire sur les ondes des stations locales prit soin des plantes et apporta les lettres à la jeune fille, mais elle refusa d'accepter le paquet. Elle leur proposa même d'emporter les premières, celles qu'elle avait gardées par politesse. Ni la jeune fille, ni ses amis, ni ses parents, ni les parents de ses amis, ni son fiancé, ils faisaient à eux seuls une moitié de la rue, n'assistèrent aux funérailles. L'autre moitié de la rue, les retraités, les rêveurs, les parents qui n'attendaient rien en retour de leurs enfants, et les jeunes voyous peu respectueux des conventions, qui aimaient bien le vieux et reprochaient au fiancé de la jeune fille d'avoir été dans son enfance un mauvais joueur d'équipe les ayant fait perdre des matchs qu'un jeu plus collectif aurait permis de gagner, se donnaient rendez-vous le soir dans la grande salle du bar du quartier. Pour parler du vieux, imiter sa voix, prolonger ses blagues et relire ses lettres. Une moitié de la rue se passa l'héritage, l'autre le refusa. Aujourd'hui encore les deux moitiés de la rue vivent dos à dos, face à face. Aujourd'hui encore, n'importe quel client conduit par le hasard dans la grande salle du bar peut lire dans cet étrange musée nocturne les "lettres à celle qui n'a rien compris". Aujourd'hui encore, en sirotant leur verre, des inconnus devisent sur les lettres rendues et les lettres cachées, le besoin de parler et le poids du silence.

L'Etranger avait feuilleté quelques lettres en faisant halte dans le bar. Les blagues n'étaient pas convaincantes, mais il y avait des phrases assez intéressantes. L'Historien n'avait pas réagi au récit. Il n'opinait jamais sur les histoires des autres. Raoul, avec son sens pratique, avait voulu savoir si la jeune fille était vraiment très belle : c'est un défaut de la vieillesse de créer l'enthousiasme et d'embellir les choses. L'Etranger avait répondu qu'il n'avait pas vu la jeune fille puisqu'il ne connaissait qu'une moitié de la rue, mais, dans les lettres, elle était belle comme l'idéal. Et puis, merde, c'était une chose qui allait de soi et il n'y avait qu'un crétin comme Raoul pour poser des questions pareilles !

L'Etranger disait de Raoul que le casque qu'il avait porté pendant toutes ces années à se la couler la douce dans la fonction publique lui avait ramolli le cerveau. Pourtant Raoul avait le corps et le cerveau plus solides que les deux autres. J'avais même le sentiment qu'il devait vivre éternellement. D'ailleurs, il a essayé. Il n'y a pas longtemps qu'il est mort. Une voiture l'a heurté à l'entrée du grand cimetière. Je n'ai pas assisté aux funérailles. J'étais parti pour un de ces congrès sur la littérature autobiographique. Mais j'étais présent à la veillée. Il y avait là un grand nombre de femmes, des jeunes, des vieilles. Il y avait aussi des jeunes gens dont les traits présentaient une vague ressemblance avec ceux de Raoul. Il avait agi sur le monde de multiples façons. Moi, j'ai peur.

Oui, même écrire peut devenir un acte dangereux. Qui peut dire à l'avance quel côté de la rue habite le cœur de l'autre ?

Oui, je continue de te rapporter les histoires de l'Etranger comme si elles étaient vraies. Qu'importe qu'il ne soit jamais parti. Après sa mort, à la pension, nous passions de longs moments à contempler des cartes postales, pour le garder en vie. Raoul les achetait à des revendeurs qui se tenaient à l'époque sur l'escalier à l'entrée de la poste centrale, à côté des peintres naïfs qui étalaient leurs toiles sur les marches. Il choisissait toujours les photos de lieux très éloignés. L'Etranger nous était venu des quatre coins du monde, il fallait aller loin pour saluer sa mémoire. Jamais nous n'avons reparlé de cette conversation téléphonique avec son frère. Jamais nous n'avons cherché à nous renseigner sur la "vraie vie" de l'Etranger. Sa vraie vie, nous la connaissions. Ricardo Mazarin n'était jamais allé nulle part. C'est une chose que nous avons oubliée. Un fait banal, sans importance, n'altérant pas la vérité. Nous avions voulu partager avec d'autres personnes l'information qui nous semblait valoir la peine. L'Historien m'avait demandé de rédiger une note, et il avait obtenu du rédacteur en chef d'un grand quotidien qu'on fît une place à notre ami dans la rubrique nécrologique. La notice annonçait la mort d'un voyageur infatigable qui avait glissé, la tête dans le bleu, en mettant les pieds sur sa dernière passerelle.

Quelqu'un a dû la lire. L'expérience m'a prouvé qu'il suffit que les choses soient imprimées pour que quelqu'un les lise et y trouve de l'intérêt. Si le vieux comique avait publié ses lettres en les adressant à une jeune fille imaginaire, les résidants de l'autre moitié de la rue auraient été contents d'avoir un écrivain à portée du trottoir.

Je dois te parler de Raoul. De son côté pratique. Et de sa théorie sur le mensonge. Des années après la mort de l'Historien, Marguerite est revenue me voir. Elle m'attendait devant l'entrée de l'immeuble, comme la première fois. Et, pour monter l'escalier, elle avait enlevé ses chaussures. Je lui ai fait du café, comme la première fois. Elle avait vieilli. Pourtant, malgré ses cheveux blancs, son visage gardait un air espiègle et déterminé. Je voyais dans ses yeux que de nous deux j'étais celui qui avait le plus vieilli. La vieillesse n'est souvent qu'un changement de statut. J'avais cassé les murs et agrandi l'appartement. Mes papiers étaient bien rangés sur ma table dc travail. Mes livres bien rangés sur les étagères : un rayon pour les exemplaires dédicacés offerts par des collègues, un autre pour les ouvrages de théorie littéraire. Le petit salon, le système hi-fi. J'étais devenu un homme bien installé dans sa carrière. Elle me dévisageait, cherchant à se convaincre que ce changement de statut n'avait pas affecté la personne à l'intérieur. Le lit était plus grand aussi. Deux corps pouvaient s'y étendre côte à côte sans jamais se frôler. "Monsieur Robert, il avait confiance en vous, et s'il était triste, il n'était pas idiot. Alors, malgré tout ça vous n'avez sûrement pas changé." Elle n'avait pas changé. Elle parlait avec le même mélange de fougue

et de sérénité. Sa voix ne cachait ni la souffrance
ni l'inquiétude, mais elle restait forte, comme si la
vie ne devait jamais la surprendre en flagrant délit
d'abattement. Le Portail n'était plus le même.
L'une des Amoureuses était morte, et la veuve ne
tiendrait pas longtemps. Elle racontait aux habitués leur première rencontre, les années de trottoir
avant la décision de se mettre ensemble. Mais les
clients connaissaient l'histoire par cœur. Et tant
qu'elles étaient deux pour la raconter, c'était une
belle histoire, une sorte de miracle dont leurs baisers mouillés, leurs câlins, leurs mains jointes
prouvaient l'actualité. Maintenant que les Amoureuses n'étaient plus qu'une, ce n'était rien qu'une
histoire triste, une chose du passé, la preuve que
toute histoire débouche sur la mort. C'était un
amour mort pleurant sur sa légende. Le Portail tout
entier pleurait sur sa légende. De grosses bâtisses
avaient remplacé les maisons basses d'autrefois, et
les musiciens des rues étaient trop tristes ou trop
pauvres pour jouer toute la nuit. La voix des chan-
teurs se cassait vite, ils n'attendaient plus l'aube
pour rentrer dormir dans leur chambrette ou sous
un hangar. Des investisseurs, c'était le nouveau
mot à la mode, achetaient les vieux immeubles en
bois pour les remplacer par des constructions en
béton et en fer forgé. Elle tenait toujours son commerce : *Chez Jacques et Bob*. Des étudiants le fré-
quentaient, mais ils se plaignaient sans cesse que
le service et la nourriture ne valaient pas le prix, et
leur conversation n'était pas aussi intéressante que
celle des messieurs d'autrefois. Ils ne faisaient
que compter l'argent, le leur, celui des autres, le
peu qu'ils avaient dans la poche et tout ce qu'ils
allaient gagner en faisant ci et ça. Le quartier du Portail n'était plus ce grand sourire un peu triste qui
s'ouvrait la nuit. Il ressemblait de plus en plus à une

balafre. Les choses ne meurent pas complètement, et, certains soirs, on entendait encore de gros rires d'adultes perdus dans leur enfance. Il passait parfois des amoureux. Le charme, c'est une chose qui peut se refaire. Le charme du Portail, on pouvait le refaire. Apprendre aux musiciens les chansons d'autrefois ou les éduquer de manière qu'ils puissent en écrire de nouvelles avec la bonne dose de joie et le grain de poussière qui donne envie de rire et envie de pleurer. Elle ne voulait pas partir. Elle aimait écouter les pas des étudiants, saisir des bribes de leur conversation quand ils se groupaient devant son restaurant pour en attendre l'ouverture. Elle croyait reconnaître les pas de monsieur Robert et de monsieur Jacques. Un jour, il en viendrait deux comme eux, avec les mêmes pas, les mêmes voix, et des conversations sur des sujets qu'elle ne comprenait pas toujours, au début surtout, mais dont la suite serait d'une grande beauté, limpide comme l'eau de source. Quand elle était petite, elle avait accompagné une tante qui cherchait Dieu dans son pèlerinage. Il y avait une source. Elle n'avait aucun souvenir des prières, mais l'eau était fraîche. Il fallait verser de l'eau de source sur la tête du Portail. Elle ne voulait pas fermer son commerce. Un jour, Bob et Jacques, ils reviendraient chez eux. Elle devait garder la maison ouverte. Pour eux. Pour elle. Pour leur jeunesse. La vie, elle revient. Ça serait trop bête si elle ne revenait pas. Elle ne voulait pas fermer son commerce. Le propriétaire, il désirait vendre. Vendre et ne plus rien avoir à faire avec le Portail. Elle devait acheter ou déguerpir. Ce qu'elle avait accumulé ne suffisait pas. Elle avait pris contact avec monsieur Raoul. Avant de mourir, monsieur Robert avait dit, pour le cœur va voir l'Ecrivain, pour l'argent, tu pourras compter sur Raoul. Monsieur Raoul lui avait donné rendez-vous à la banque. Viens avec l'Ecrivain. Est-ce que je voulais bien y aller avec elle ? Est-ce qu'elle pouvait dormir chez moi ? Surtout que j'avais un grand lit. Nos corps ne risquaient pas de se frôler. Quand elle était plus jeune, je n'avais pas voulu. Maintenant qu'elle avait les cheveux blancs, les chances étaient encore plus minces. Faut vous dire, y en a qui aiment les cheveux blancs. J'ai pas arrêté, vous savez. Je le fais de temps en temps avec un passant. Avec un étudiant ou un vieil ami. Parfois, quand c'est un peu intello, avec des caresses hésitantes, je me souviens de monsieur Robert. J'imagine que c'est lui. Souvent j'imagine rien. C'est juste ce que c'est. Une affaire de plaisir qu'on oublie après. Monsieur Jacques, j'ai pas à imaginer, on l'avait fait. Monsieur Robert, c'est mon seul regret. J'ai pas beaucoup de regrets, vous savez. Y a les choses qui existent et celles qui n'ont pas eu le temps d'exister, c'est comme ça. Alors, pourquoi pleurer sur les choses qui n'ont pas eu lieu. Je me dis ça. En général, j'arrive à m'en convaincre. Mais, monsieur Robert, je peux pas m'empêcher. Alors, les étudiants, c'est un peu lui. Et vous, ça vous arrive de penser à lui ? Oui. A l'Etranger aussi. Un écrivain, ça a beaucoup de mémoire ? Pas plus que vous. Souvent, ça oublie et ça préfère ne rien imaginer. Ça vous dérange que je parle autant ? Non, pas du tout. Vous, vous ne parlez pas beaucoup ? Ecrire, c'est parler aussi. Votre ami, moi je savais qu'il n'avait jamais quitté la ville. Le matin, il allait traîner au Bel Air. C'était son quartier. Il y passait tous les jours et s'arrêtait devant l'emplacement de la maison dans laquelle il était né. Les enfants le taquinaient à cause de son manteau. Il ne connaissait même pas toute la ville. Il allait au Bel Air, retrouver son enfance. Vous savez qu'il avait un métier ? Non. Son père était horloger. A la mort du père, l'aîné est parti. Lui a tenu un temps. Il a repris l'horlogerie. Mais les vieux disent qu'il était pas foutu de réparer une pendule. Alors le commerce a périclité, et sa tête a commencé à chavirer, à voyager. Un jour, l'horlogerie a brûlé. Les vieux disent que c'est lui qui a foutu le feu. Il s'est caché un temps dans une chambrette de la rue des Remparts. Après il est revenu en répétant qu'il avait fait trois fois le tour du monde. Mais c'est sûr qu'il ne connaissait même pas les banlieues. Vous ne l'aviez pas dit à Robert ? Cela aurait servi à quoi ? C'est toujours bon de voyager.

Marguerite avait préféré marcher. Nous sommes allés à pied jusqu'au centre-ville. Nous avons dû croiser des chiens. Mais peut-être n'est-ce qu'un faux souvenir. Dans la ville que j'habite, on ne peut aller nulle part sans rencontrer à chaque coin de rue un ou deux chiens errants. Alors, ils finissent par se glisser partout, jusqu'à faire mentir la mémoire. Un peu comme ces personnes qui passent toute une vie sans victoire affective, parce que leur attente est fixée sur le premier refus.

Devant la banque, Raoul nous attendait à l'arrière d'un taxi. Son taxi. Après sa mise à la retraite, il en avait acheté trois, il était allé en province recruter trois chauffeurs. Il leur donnait un travail, ils lui versaient chacun une somme forfaitaire à la fin de la semaine. Et il appelait quand il avait une course à faire. J'avais appris cela de Marguerite. Elle savait presque tout sur tout le monde. Presque. Elle ignorait comment Raoul avait accumulé l'argent qu'il avait investi. Je ne le savais pas non plus. A la pension, c'était une chose dont nous ne parlions jamais, sauf quand je peinais sur un poème jusqu'au lever du jour. Quand je les rejoignais dans la cour, les Aînés me souhaitaient d'en gagner un peu, un jour, avec le travail de la nuit.

Je te parle de ce jour parce que c'est la dernière fois que j'ai vu Raoul vivant. La veillée ne compte pas. On avait refait son visage. Et je ne pouvais voir ses mains. Raoul, c'étaient ses mains. Dans le taxi, il avait glissé une enveloppe dans les mains de Marguerite. On a chacun les mains qu'on peut, celles de Marguerite paraissaient toutes petites, noyées dans les énormes pattes de Raoul. Ses mots me reviennent : pour l'Historien. Rien que ça. Puis il a demandé au chauffeur de nous déposer devant l'entrée d'un restaurant chic, dans le quartier des affaires. J'ignorais qu'il fréquentait ce genre de restaurant. La clientèle, le mobilier, la servilité froide du personnel, tout évoquait le monde de l'Historien avant sa fuite vers la pension. Alors, j'ai compris. Nous étions chez l'autre Robert. Notre présence en ce lieu valait une antiphrase. Les clients et le personnel nous observaient, comme s'ils s'attendaient que, réalisant notre erreur de jugement, nous partions sur-le-champ. Le serveur nous avait proposé une table dans le coin le moins éclairé. Quand on ne peut chasser l'intrus, on le cache, c'est pour ça que les villes ont créé les ghettos. Nous n'avions pour proches voisins qu'un couple qui fuyait la lumière. La femme était belle, l'homme tout sourire envers elle. Ils chuchotaient comme les autres tablées. Le chuchotement, ce rituel peu amène qui caractérise la politesse bourgeoise, doit revêtir, au fond, une grande importance stratégique. La majorité des clients parlait transactions, investissements, profits. Nos voisins, eux, parlaient adultère. L'homme avait glissé ses doigts sur la nappe jusqu'à toucher ceux de la femme. Elle avait retiré sa main d'un geste brusque, fuyant le contact, regardant, affolée, dans toutes les directions. L'homme insistait. Un long monologue en forme de murmure. Approchant de nouveau sa main en vérifiant, l'air décontracté, que personne ne les épiait. Les doigts de l'homme touchaient de nouveau ceux de la femme. Cette fois-ci, elle le laissait faire, comme absente, sans l'encourager. Puis, brusquement, elle s'était levée et s'était dirigée vers les toilettes. Probablement pour peser le pour et le contre, faire le tour des choses en se lavant machinalement les mains ou en se regardant dans le miroir, et revenir avec une décision. Marguerite aussi était allée aux toilettes. Elles étaient revenues presque en même temps. L'une marchant mal dans son pas, malgré le tailleur de bonne coupe, l'élégance achetée sur mesure. L'autre, nu-pieds. La femme était revenue avec une décision. Elle ne voulait pas finir le déjeuner. Elle demandait à l'homme de la ramener. Elle avait refusé l'offre. Dans la voiture, l'homme allait de nouveau insister, essayer, bafouiller, tout dire pour la convaincre. Marguerite souhaitait à la femme d'être fidèle à son refus. Les hommes, parfois ils croient que les femmes doivent coucher avec eux juste parce qu'ils en ont envie. Personne n'est obligé… Le passé était entré dans notre conversation. Etait-ce vraiment le passé ? Nous avons parlé des vivants et des morts, de l'Etranger, de l'Historien, du Portail ; de la jeune fille que Raoul n'avait pu sauver, de la mère de la jeune fille qui avait caché sa peine au village et craché sa tristesse dans l'eau claire de la cruche ; des mères et des filles, des pères aussi, de la fille de l'Historien qui vivait avec sa musique dans la petite maison ; des grandes maisons et des petites maisons ; des cimetières qui n'étaient plus ce qu'ils étaient (tellement les gens s'empressaient de mourir, les vivants d'enterrer leurs morts) ; des chansons d'hier ; des maisonnettes au pied du Morne L'Hôpital sur lesquelles la montagne ne s'était toujours pas effondrée ; de cette chanson que détestait l'Etranger, *Bleu, bleu…* mais comment savoir ce qu'il détestait vraiment, des histoires qu'il nous racontait, des lettres du vieil acteur comique à la jeune fille de l'autre côté de sa rue ; des rues qui ont toujours deux côtés sans qu'ils soient forcément à égalité, de la distance entre ce qu'on perçoit et ce qui est, des années de Raoul dans la fonction publique ; des livres de l'Historien que sa fille sortait de la malle une fois par semaine pour leur permettre de respirer. Toutes ces choses et toutes ces personnes pas toujours compatibles, se tenant tête, s'opposant même, faisaient comme un chemin. Un chemin. Une étrange marche à suivre. Nous nous interrogions vainement sur son aboutissement ou sa finalité. Nous avons parlé de tout ça et d'autres choses encore jusqu'au retour du chauffeur du taxi. Raoul l'a invité à prendre un verre avec nous. Il ne voulait pas. Il avait tous les renseignements. "On attendait monsieur Raoul." Raoul a dit que c'était bien de les faire attendre un peu. Il a réglé la note, et le personnel nous a regardés avec d'autres yeux, à cause du pourboire. Ou était-ce que le rire franc de Marguerite avait quelque chose de contagieux, tandis qu'elle nous précédait vers la sortie, une chaussure dans chaque main.

Merci. L'Historien disait qu'il fallait toujours remercier. Ce n'était pas une affaire de politesse. L'Historien s'en foutait de la politesse. Il avait abandonné à l'Autre les bonnes manières qui vont avec le patrimoine. "Les gens ne sont pas obligés de s'arrêter pour saluer ton passage, ni de venir vers toi. Il convient de marquer d'un geste ou d'un mot l'arrêt ou le déplacement qu'ils consentent en ta faveur." Il avait emprunté cette idée à son ami Jacques. Souvent, quand il parlait, il citait Jacques. Il y avait deux personnes en lui. Mais qui d'entre nous peut prétendre n'être qu'une seule personne. Combien es-tu ? Aujourd'hui, tu es cette femme à qui je dis merci, parce qu'elle a accepté de prendre un verre avec moi au bar de l'hôtel. Demain, seras-tu la même ? Tu as paru flattée à l'idée de lire le manuscrit du roman sur lequel je travaille, comme si c'était un privilège. Lire est une charge. La jeune fille avait compris cela, elle évitait de lire les lettres du vieux comique. Les habitués du bar du quartier avaient tort de l'appeler "celle qui n'a rien compris". Elle avait flairé le danger.

Toi, tu me prends pour un homme installé dans sa vie qui partage avec toi un domaine d'intérêt. Tu m'as donné ton adresse, et je t'ai promis de te faire parvenir le manuscrit. Pour toi, nous sommes au début d'une amitié de professionnels. Mais je ne t'enverrai pas de manuscrit. Demain, à l'aube, je laisserai ces feuillets devant la porte de ta chambre, sans te révéler ni que je n'ai jamais écrit aussi vite, ni que cela s'adresse à toi, ni que ce que tu prendras sans doute pour un mauvais roman est né de ta présence, ni, enfin, que cela n'a de sens que si je te le donne, non comme un livre, un de ces objets qu'on peut acheter dans une boutique spécialisée, mais comme une proposition de conversation secrète entre toi et moi, sans autre barrière que cette porte à laquelle je n'oserai pas frapper.

Nous avons parlé du colloque, et j'ai trouvé ta voix plus jeune que tes propos. J'ai appris aussi que tu lisais beaucoup. Tu as promis de m'envoyer tes commentaires. Je n'ai jamais rien attendu avec autant d'impatience. Tes commentaires sur quoi ? Sur moi. Je suis l'homme qui écrit ces lignes sans en être le contenu. Quel en est, dans le fond, le contenu ? Ce livre est vide. Il ne contient qu'un vœu. Quand on aura fait connaissance, je me permettrai des idées sur le monde, un fond de vie. Pour l'instant, je ne veux être que le souvenir de ces trois hommes desquels j'ai appris le peu que je sais de la quête du bonheur. De ses défaites aussi. Parler d'amour, n'est-ce pas engager une discussion sur le bonheur ? Il me reste à te raconter la suite de ma dernière journée avec Raoul. Pour poser d'entrée de jeu mes termes de références.

C'était une grande maison. Le chauffeur avait garé le taxi dans la cour à côté d'une voiture de luxe, vieille mais bien entretenue. Tout était vieux. Les meubles, le plancher. Tout transpirait une richesse très ancienne et sûre d'elle-même, sans besoin obsessionnel d'étalement. La famille était réunie dans la bibliothèque. Les livres étaient reliés de façon uniforme, lettres d'or et couverture noire. La famille aussi était vêtue de noir. Deux vieilles dames. Elles nous regardaient, le chauffeur, Marguerite et moi, d'un œil sévère. Leurs yeux disaient que nous n'aurions pas dû être là. Raoul nous a présentés comme des amis pour lesquels il n'avait pas de secrets. Les vieilles dames ont dit que c'était bon pour les amis, mais le chauffeur pouvait attendre au garage, dans la voiture. Assis derrière les vieilles dames, un couple dans la trentaine gardait les yeux baissés. Et derrière eux, une jeune fille au regard triste. Les sièges étaient identiques, mais chaque génération tenait son rang. Les plus âgés devant. Dans cette famille, les choses avaient dû se faire ainsi, de toute éternité. Si l'envie m'en était venue, j'aurais pu partir de cette scène pour écrire la saga de cette vieille fortune demandant conseil aux absents. Mais je n'aime pas les livres qui doivent se faire violence pour sortir dans la rue. J'aurais pu raconter l'histoire de cette sœur aînée qui avait survécu au frère auquel elle avait servi de gouvernante et de conseillère. Elle avait consacré sa vie à le regarder conduire ses affaires, sans prendre pour elle le temps d'aimer un autre homme ou d'admirer un paysage. J'aurais pu la traquer dans sa virginité, suivre ses privations, sa vieillesse à la trace. Il y avait si longtemps qu'elle avait choisi d'être vieille : la virginité est une option de vie plus vieille que celle qui la choisit, comme les sacerdoces et les malédictions. J'aurais pu écrire le roman de la veuve qui n'avait pas pleuré à la mort de son époux, comme elle n'avait pas pleuré à la mort de leur fils unique. Les larmes étaient pour elle l'expression la plus vulgaire de la souffrance. L'un avait été un homme d'affaires dur mais honnête. La mort l'avait surpris dans son sommeil. L'autre avait toujours eu la santé fragile et n'avait su gérer ni sa fortune ni son mariage. Sa femme, une aventurière qu'il avait épousée sur un coup de tête, était partie un soir pour ne jamais revenir, lui abandonnant la garde de leur fille unique. Il était mort d'un mélange de fastes et de chagrin. Un époux et un fils, elle devait à leur mémoire de conserver une allure digne. J'aurais pu écrire le roman des belles-sœurs qui croyaient dur à l'autre bord et ne faisaient qu'attendre d'y rejoindre leurs hommes. Elles avaient acheté un mâle pour gérer les intérêts de la succession. Un cousin éloigné de la veuve, que les vieilles avaient recueilli avec sa jeune épouse, à condition qu'il fasse tout et ne prétende à rien. J'aurais pu faire un récit acceptable de ces mornes présences, mais quel en serait l'intérêt ? J'aurais pu écrire aussi sur les yeux tristes de la jeune héritière. Son regard perdu. Sa jeunesse coincée entre une fortune trop grande pour une seule personne, la dure tendresse des deux vieilles, son visage ingrat. Elle était de celles qui savent d'instinct que l'homme qui évoque leur beauté ne peut être qu'un arnaqueur. J'aurais pu écrire sa tristesse. Mais quelle serait la fin ? Je n'ai pas l'art des fins heureuses. Pourquoi piller la vie des gens si l'on ne peut en faire des livres qui débouchent sur un sourire ? Je n'ai jamais utilisé les informations que Raoul m'a données ce soir-là, après la séance. Des années ont passé. Je crois que la jeune fille est partie, elle aussi, pour ne plus revenir. Le cousin est, dit-on, un très bon gestionnaire. La veuve est morte, mais la sœur vit encore. Dans son caveau antique. La maison me faisait cet effet. Assis les uns derrière les autres, leurs mains bougeant à peine, les vivants se tenaient aussi raides que les morts dont les photos avaient été accrochées au mur auquel l'assistance faisait face.

Raoul était allé se mettre face au groupe, sous les photos, sur la chaise qui lui était réservée. Il y avait une amphore remplie d'eau, une bougie couchée dans une soucoupe, et une boîte d'allumettes. Raoul a allumé la bougie. Il a jeté un peu de cire brûlante dans la soucoupe pour faire une base. Il a posé la bougie allumée dans la soucoupe et mis la boîte d'allumettes dans sa poche. Il a tourné la tête pour saluer les photos, et l'assistance a suivi son regard. Il s'est retourné pour plonger les yeux dans l'amphore, et l'assistance a de nouveau suivi son regard.

Le dernier homme à avoir vu la messagère des eaux allait transmettre aux vivants la volonté des morts. Andrémise avait vu le capitaine. Le capitaine se portait bien et disait que ce n'était pas aux vivants de s'inquiéter de la santé des morts, mais aux morts de s'inquiéter de la santé des vivants. Le capitaine avait des inquiétudes. Il voulait d'abord parler à son épouse pour lui recommander de ne pas se laisser détruire par le chagrin causé par la mort de leur fils. Ils avaient une petite-fille. Il fallait l'aimer et la laisser faire son chemin. Le capitaine voulait ensuite parler à sa sœur. Elle n'avait jamais voyagé. Toute sa vie, elle avait veillé sur lui, sur ses affaires, sur son mariage. Elle avait été la compagne idéale pour sa veuve. Quand ils étaient encore adolescents, il voulait devenir un homme d'affaires comme leur père, elle rêvait juste d'une croisière. Le capitaine n'avait pas oublié. On n'oublie pas les rêves d'enfance de sa sœur. Il était plus que temps qu'elle la fasse, cette croisière. Pour voir un peu le monde. Elle avait suffisamment donné. Dieu lui avait déjà réservé sa place au paradis. Elle n'avait qu'à choisir une jeune femme d'origine modeste, mais instruite, pour l'accompagner. Le capitaine voulait maintenant parler affaires. Il s'adressait au cousin. Il le considérait désormais comme le chef de famille. Les parents de l'épouse du capitaine étaient les parents du capitaine. Le cousin ne devait pas croire qu'il prenait la place de leur fils. Personne ne remplacerait jamais leur fils. Mais leur fils n'était plus au pays des vivants. Il était avec le capitaine et attendait son tour pour leur parler. Le cousin devait gérer les affaires à la manière du capitaine. Dans la droiture. Il devait veiller au confort des aînées, s'occuper du voyage de la tante et s'assurer que la veuve disposait de suffisamment de menue monnaie pour ses filleules et ses fondations. Il devait aussi s'occuper de son épouse à lui. Un homme qui néglige son épouse l'abandonne à l'ennui. Personne ne doit mourir d'ennui. Le capitaine avait géré ses affaires sans paresser, mais il avait toujours pris le temps de s'occuper de son épouse. Il avait été moins chanceux avec leur fils unique. Le capitaine voulait enfin parler à sa petite-fille. Ton père, il aimait ta mère, et il t'aimait, c'est ce qui compte. Ta mère était née pour partir, il ne faut pas lui en vouloir. Il faut apprendre à pardonner. Quant aux biens, tout te reviendra. Tu en feras selon ton cœur, mais ne deviens jamais la chose d'un homme. Le capitaine voulait ajouter quelque chose pour son épouse et pour sa sœur. Ne soyez pas trop sévères avec la petite. Les temps ont changé. Elle doit vivre dans son temps, pas dans le nôtre. C'était maintenant au tour du fils. Le fils hésitait. Raoul ne percevait pas bien le message. Il voyait Andrémise, mais l'image était trouble. La famille attendait. L'image s'éclaircissait. Raoul la voyait. Il l'entendait. Le fils du capitaine parlait à Andrémise et Raoul transmettait. Le fils s'excusait. Il n'avait pas acquis le droit de parler aux vivants avec autorité. Sa vie avait été un échec. Il en demandait pardon à sa mère et à sa tante. Il avait réussi deux choses dans sa vie. Quand il était tout petit, son père lui avait acheté un costume de marin. Il aimait jouer au mousse. Son père l'avait trouvé un jour ramant sur la table de la bibliothèque. Il avait expliqué son jeu, il était le matelot, son père était le capitaine. Depuis ce jour-là, tout le monde, la famille, les ouvriers, appelait son père le capitaine. Il avait renommé son père, c'est un bonheur pour un enfant. Sa deuxième réussite, c'était sa fille. Il lui demandait pardon de n'être plus là pour elle. Il n'avait de conseils à donner à quiconque sinon de faire la paix avec leurs souvenirs.

La séance avait duré une heure. Les visages des derniers survivants de l'auguste famille restaient impénétrables. Seule l'héritière avait réagi en écoutant les messages qui la concernaient. Une lueur était passée dans ses yeux. A la fin de la séance, nous sommes sortis de la bibliothèque, laissant la famille figée dans sa méditation. Le domestique qui nous avait accueillis a remis une enveloppe à Raoul avant de fermer la porte. Nous sommes montés dans la voiture. "Vite, je suis fatigué." J'ai su que Raoul était mortel quand il a dit ces mots au chauffeur. Au moment où le portail allait se refermer derrière nous, la jeune fille est arrivée en courant. Elle s'est mise devant la voiture pour forcer le chauffeur à s'arrêter. Raoul est descendu. Ils étaient face à face, le vieil homme et la jeune fille. Elle a crié : Tout cela, c'est des mensonges, n'est-ce pas ? Combien elles vous paient pour vos mensonges ? Vous trouvez ça bien de raconter n'importe quoi, de faire mentir les morts ? Raoul a répondu qu'il ne racontait pas n'importe quoi. "Non, mademoiselle, je ne raconte pas n'importe quoi. Si vous voulez, je ne viendrai plus." La jeune fille au visage ingrat a soudain eu peur. Elle s'est mise à pleurer. "Non. Revenez. J'étouffe ici. Revenez. C'est vrai, vous ne racontez pas n'importe quoi. Je sais que ce sont des inventions, mais elles y croient. Alors, revenez. Aidez-moi. J'étouffe ici." Raoul est remonté dans la voiture. La jeune fille s'est dirigée vers sa villa. Puis, brusquement, elle s'est retournée, elle a ouvert la portière et, prenant dans ses petites mains d'adolescente au corps agile mais menu les pattes de singe de Raoul, elle s'est penchée vers lui pour l'embrasser sur les deux joues, et elle a dit : "Merci grand-père."

Tout cela est loin. Je n'ai jamais revu Raoul. Nous avons accompagné Marguerite jusqu'au Portail. Raoul a donné sa part au chauffeur pour son travail d'enquêteur. Le reste de la somme, il l'a donné à Marguerite. "Pour l'Historien." Rien que ces mots. Une deuxième fois. Marguerite est allée à son commerce. Raoul a demandé au chauffeur de nous attendre et nous avons marché sur le boulevard. Il m'a raconté sa rencontre avec la noyée, son désir de la sauver, l'échec de ses mains, le triomphe des eaux. Madame Almira. Le crachat. Le génie inventif d'une mère affligée pour garder son enfant en vie. Le premier mensonge. Et ceux qui ont suivi, un peu malgré lui. Il avait aimé un grand nombre de femmes. Et elles le lui avaient bien rendu. Il avait fait l'amour avec un grand nombre de femmes. Leurs corps étaient heureux, le sien aussi. Mais celle qu'il n'avait jamais oubliée, c'était cette paysanne qui rentrait au pays pour mettre sa mère au courant de son bonheur. Celle-là était l'éternité. Alors, qu'est-ce qu'un mensonge ? Surtout si les gens ont l'argent pour payer. Et si l'idée folle que les morts ont appris des choses sur la vie peut mettre un peu de joie dans celle d'une adolescente.

Nous sommes retournés dans la voiture. Je ne me souviens pas des couleurs de la nuit. J'envie les personnes pouvant décrire les heures, les moments à leurs couleurs. Je me souviens que Raoul a demandé au chauffeur de me conduire chez moi, qu'ils n'ont pas voulu descendre malgré mon insistance. Je me souviens de m'être plongé tout de suite dans l'écriture d'un nouveau chapitre du roman sur lequel je travaillais. Je me souviens aussi d'avoir conclu que la littérature de Raoul, pour orale qu'elle était, valait mille fois mieux que la mienne.

C'est l'aube. Dans deux heures, un membre du comité d'organisation donnera, dans le hall, le signal du départ. Il fera les plaisanteries habituelles, et lorsqu'il aura vérifié que toutes les factures sont réglées et que tout le monde est présent, le premier groupe partira. Nous ne prendrons pas le même car. Nous allons dans des directions opposées et n'avons pas le même horaire. Je partirai avec le deuxième groupe. De ma fenêtre, je te regarderai partir. Ce n'est pas vrai. De ma fenêtre, on ne voit rien que le toit de l'immeuble d'en face. Je t'imaginerai en train de partir. Je t'inventerai des gestes. Peut-être un sourire. Peut-être commenceras-tu la lecture de ces feuillets dans le car, ou plus tard dans l'avion. Il se peut aussi que tu les oublies pendant une semaine ou deux, le temps pour toi de retrouver ta vie, tes habitudes, tes amours. Après les voyages, on a parfois besoin d'un peu de temps pour se réinstaller dans soi-même. Tu prendras ce temps. Et un soir, quand tu disposeras d'un moment à toi, tu te souviendras de cette chose que quelqu'un avait laissée devant ta porte. Un faux livre, sans nom d'auteur. Ou un vrai. Depuis toi – ces idées se cachaient peut-être déjà en moi –, je développe sur la littérature des idées farfelues. Elle reprend du pouvoir dans ma vie et se banalise en même temps. Je me dis que nous, les humains, devrions chacun écrire un livre par rencontre et le laisser sur un banc, sous une fenêtre, dans un lieu affectionné par son destinataire. Chaque destinataire garderait cependant la latitude de prêter à ses connaissances le livre écrit pour lui, voire de l'offrir à une personne plus susceptible d'être touchée par la fable ou la musique des mots. Chacun pourrait dire à un de ses proches ou à un inconnu, on m'a écrit cela, mais je crois que cela vous ira mieux qu'à moi. Le destinataire pourrait aussi modifier le livre à sa convenance, l'enrichir de ses propres doutes ou d'une autre lumière. Nous serions tous coauteurs des écritures croisées qui circuleraient de par le monde. Un homme passe dans une rue. Un livre tombe d'une fenêtre. L'homme l'ouvre et se met à lire en continuant sa marche. Du livre sort un arc-en-ciel. L'homme s'arrête à la première place publique et s'assied sur un banc pour continuer sa lecture. L'arc-en-ciel grandit. Une femme, sur un autre banc, regarde jouer une petite fille. L'homme pense que l'arc-en-ciel irait bien à la petite fille. A cause des rubans. Il sort son stylo et il ajoute les pages dans lesquelles une petite fille joue sur une place. Il l'appelle et il lui tend le livre. La petite fille s'empresse d'aller montrer son cadeau à sa mère. "Regarde, maman, ce monsieur, là-bas, m'a offert un arc-en-ciel." Le soir, pour aider sa fille à faire de beaux rêves, la mère lui lit le livre. Et la petite fille propose d'ajouter une couleur à l'arc-en-ciel, pour faire plaisir à sa maîtresse. "La maîtresse nous dit toujours que ce qu'on écrit c'est pas trop mal, mais il manque toujours un petit quelque chose." La mère va chercher des crayons, et la mère et la fille ajoutent le petit quelque chose : une couleur. La petite fille est contente. Le lendemain matin, elle offre le livre en cadeau à la maîtresse. La maîtresse estime en effet qu'il manque quelque chose. Non, ce n'est pas une couleur. Voilà, il manque le cours d'eau où l'arc-en-ciel va boire. Et elle ajoute les pages où l'arc-en-ciel se penche sur l'eau et perd son chapeau. Elle ajoute aussi des notes de musique, pour son petit ami qui joue du violon dans un orchestre. Et ainsi de suite. Cela m'étonne que l'Etranger n'ait pas visité ce coin du monde dans lequel les livres tombent des fenêtres ou sont laissés par des faiseurs d'arc-en-ciel sur les bancs des places publiques à l'intention des petites filles. Il devait connaître cette histoire. Un tel monde doit bien exister. C'est juste qu'il n'a pas eu le temps de nous la raconter. Mais je dis des sottises. Les livres sont signés. Quand on n'est pas certain de leur provenance, on les attribue d'office à quelqu'un qui en a écrit d'autres, selon des critères de datation et de ressemblance. Et il existe des personnes auxquelles, pour toutes sortes de raisons, nul ne voudrait écrire. Elles seraient ainsi exclues de la correspondance. Parfois je pense que le mot justice n'a qu'un seul synonyme, la réciprocité. C'est sans doute pour cela que j'ai apprécié la solidarité des syndicalistes et que j'ai fui les relations dont les termes varient sans cesse selon que l'un désire partager une vie et l'autre un moment, selon que l'un recherche l'étreinte et l'autre la conversation. C'est pour cela que je ne te parle pas de mes petites histoires à moi et ne revendique aucune expérience. Je n'ai pas de parler à deux. En te voyant, cette chanson un peu bête est venue réveiller le souvenir des seules rencontres dont j'arrive à extraire du sens, une idée, presque une morale. Leur vie, c'est mon savoir. Sur la victoire du rêve. Sur sa défaite aussi. L'amour, est-ce autre chose que le renouvellement de la victoire du rêve ? De sa défaite aussi. J'avais oublié la nécessité d'un ancrage intérieur, d'un commencement qui s'installe dans la permanence. D'une réponse à la question : dans quel état estu ? Je suis dans l'état de celui qui a envie de se rapprocher de toi. Dans ce tremblement. Demain, sans changer d'état, je retournerai à ma vie, je veux dire à mes habitudes. Peut-être, pour changer, irai-je voir Marguerite. Avant, j'irai faire un tour dans la rue où se trouvait la pension. Je m'efforcerai de ne pas voir les nouveaux immeubles, de m'arrêter devant la pension, d'actionner la clochette, de m'asseoir un instant dans la cour, de regarder tomber les feuilles du quenêpier. L'Historien sortira de sa chambre et nous parlerons du passé. Puis Raoul descendra du taxi et viendra s'asseoir avec nous. Nous attendrons l'Etranger. Et quand il sera là, une fois passé la porte du manteau, l'univers s'ouvrira dans ses yeux. Puis, Raoul me demandera des nouvelles de la vie syndicale, et je répondrai que nos collègues ont encore trop peur, et comme il n'y a pas assez de bons postes, c'est un peu la guerre pour les obtenir, il est difficile de convaincre les membres de notre corporation de la nécessité d'une action commune. Et, après avoir longtemps hésité, les Aînés finiront par m'interroger : Et les filles, dans tout ça ? Et cette machine qu'on entend toute la nuit ? Alors, je leur dirai qu'il y a peut-être une fille. Je ne l'ai pas beaucoup vue, on a pris rendez-vous. Je n'essaierai pas de te décrire. Je n'ai jamais su décrire les gens. Ils voudront quand même une image. L'Etranger te trouvera des ressemblances avec Tamar et Mercedes. Raoul ne dira rien. L'Historien sera un peu triste, parce que l'Autre aussi ressemblait à Tamar, à Mercedes, aux reines, à tout ce qu'on peut rêver de plus beau avant de devenir elle-même. L'Historien s'inquiétera pour moi, puisqu'il connaît le

triste avenir qui guette quelquefois les belles histoires d'amour. Mais lui aussi sera heureux. Et,
dans la nuit, quand ils seront couchés, peut-être
reviendrai-je à l'idée du poème. Que j'ai été idiot !
Tout ce qu'ils me demandaient, c'était de leur raconter une histoire. Je n'avais rien à leur offrir. Ni
la consommation immédiate d'un récit de voyage,
ni un mystère qu'ils perceraient plus tard. Ni évidence, ni secret. La pauvreté. Le vide. Eux m'ont
donné les mots que je t'écris. Tous ces fragments
d'un grand tableau dont les motifs font seulement
semblant de varier. Un grand "auteur" auquel on a
attribué quelques pièces et, peut-être, volé quelques autres, disait qu'il n'y a qu'un seul amour. Les
Aînés ont joué chacun son rôle dans cette grande
histoire où je me cherche une place depuis une
semaine.

Demain, j'irai à la pension. Et si l'immeuble où
des experts décident de l'avenir de la ville dans
des langues étrangères écrase de son poids le souvenir de la pension, peut-être verrai-je l'Etranger
contant ses mille voyages aux vigiles veillant sur la
tranquillité des spécialistes. Les enfants ne tireront
pas la queue de son manteau. Et les vigiles com-
prendront que cet homme-là a vu plus d'ombres
et de lumière que les experts enfermés dans leurs
bureaux climatisés. J'attendrai le soir pour écouter
les paroles des chansons qui montent du cœur
des maisonnettes. Si le bruit des voitures domine
trop le chant, je descendrai vers la pauvreté pour
écouter de plus près. Je me perdrai dans ces chansons d'aujourd'hui que je devine plus vives, plus
violentes. En prêtant l'oreille, je finirai par entendre
une vieille voix fredonner une chanson d'autrefois.
Bleu, bleu... Puis je me laisserai glisser jusqu'au
Portail. Sans vraiment choisir mon chemin, me
contentant d'aller vers le sud, comme faisaient

Jacques et Bob quand ils avaient vingt ans. Sur la route, je serai Jacques, attentif à toutes les formes de vie, aux passants, aux bruits. Je m'arrêterai à la moindre larme pour en chercher la cause et prendre des résolutions. Je serai Bob, et ne saurai du réel que ce qui fut il y a très longtemps. Je parlerai à Jacques du passé et de toi. Et Jacques me parlera du présent et du rêve. L'avenir, ce n'est jamais qu'un rêve. Nous arriverons enfin au petit bar-resto qui porte nos noms. Et Marguerite sera heureuse de nous accueillir. Elle ouvrira ses bras de jeune fille à Jacques, contente de le voir, et aussi pour le remercier de lui avoir amené Bob. Nous sortirons tous les trois. Elle sera notre guide, et nous ferons le tour du quartier. Nous prendrons un verre au bar des Amoureuses. Les Amoureuses voudront lire les lignes de nos mains. Et elles nous annonceront des bonheurs à venir. Puis nous irons écouter les musiciens des rues. Je serai Jacques et je leur demanderai une chanson de lutte et de bien commun. Je serai Bob et je leur demanderai une romance à l'ancienne. Et je chanterai avec eux. Puis je ne serai plus que moi. Je les laisserai avec Marguerite. Il y a si longtemps qu'elle ne les a pas vus. Il y a si longtemps qu'elle les espère. Ils l'aideront à fermer. Jacques s'en ira le premier. Ce soir, il n'est pas venu pour lui, seulement pour Bob. Il a du Raoul en lui. Bob suivra Marguerite jusqu'à son logis. Bob, il n'a jamais eu beaucoup de chance. Ce sera sa nuit. Moi, je remonterai vers moi-même. J'essaierai d'écrire. Mais je sais que je n'écrirai pas une ligne. Je passerai la nuit à attendre. Le lendemain. Le surlendemain. J'attendrai que, toi, tu écrives. Quelques mots. Pour dire que tu ne comprends pas l'intention derrière cet étrange récit laissé devant ta porte. Il se peut aussi que tu n'écrives pas. Dans ce milieu, on prend rendez-vous et on oublie. On vit de mots, et ils finissent par ne plus renvoyer à un référent. Ils flottent. On se reverra. Sûr, on se reverra. Et l'on oublie avoir dit ça. Et l'on ne se voit pas. Et, lorsque l'on se croise de nouveau, trois ans plus tard, dans une autre ville, on se souvient vaguement d'avoir fait connaissance quelque part. On se trompe de prénom, et l'on répète sans conviction les paroles d'il y a trois ans : on se reverra. Les gens n'aiment pas se quitter avec l'idée qu'ils ne se reverront jamais plus.

Je ne sais pas si je te reverrai. Mais je n'ai pas voulu qu'on se quitte sans avoir essayé de créer un lien. J'attendrai. Si tu n'écris pas, un jour je cesserai d'attendre. C'est normal. Peut-être même parviendrai-je à t'oublier.

Je sais seulement ce que je ferai dans les prochains jours et qui je serai. Raoul et la messagère des eaux. L'Etranger. L'Historien. Eux tous. Je serai le dernier survivant de leurs histoires d'amour. Une sorte d'écrivain public des voyages intérieurs. Je ne suis pas fou. J'ai l'âge de mes mauvais poèmes, et toutes les jeunes filles ne se ressemblent pas. Je suis aussi très vieux, et j'attends sans attendre. J'ai grand besoin qu'on se découvre et ne condamne pas cet élan juvénile que ton silence peut briser. J'ai le souvenir d'avoir été brisé au moins une première fois. Ce qui m'est le plus douloureux c'est de ne m'en souvenir que vaguement. De n'avoir pas su transformer l'absence en langage. La deuxième fois, je serai prêt. Qu'importe si tu ne réponds pas. Qu'importe si, prise ailleurs – l'indisponibilité n'a-t-elle pas toujours eu des raisons légitimes ? –, tu m'ignores et m'oublies. Je me sentirai moins vide que la première fois. Plus vide, au fond. Mais l'essentiel est de ne rien cacher. Je ne pourrai pas faire comme si je ne t'avais pas rencontrée. Bientôt le temps va perdre toute importance. Soit tu seras présente dans ma vie et je serai trop heureux pour penser aux choses banales comme le temps. Soit tu seras loin, et il s'arrêtera, bloqué sur la distance. Mais je pourrai, en paix, glisser vers ma rature, j'ai dit l'amour avant que j'oublie.

TABLE

OUVRAGE RÉALISÉ
PAR L'ATELIER GRAPHIQUE ACTES SUD
ACHEVÉ D'IMPRIMER SUR ROTO-PAGE
EN JUIN 2007
PAR L'IMPRIMERIE FLOCH
A MAYENNE
POUR LE COMPTE DES ÉDITIONS
ACTES SUD
LE MÉJAN
PLACE NINA-BERBEROVA
13200 ARLES

DÉPÔT LÉGAL
1re ÉDITION : AOÛT 2007
N° impr. : 68480
(Imprimé en France)